GUIDE DE SURVIE
des Européens à Montréal

Hubert Mansion

Agence
[Serən'dıpıty]

Crédits

Auteur : *Hubert Mansion;* **Révision :** *Claude Morneau, Daniel Desjardins, Marc Rigole, Pierre Daveluy;* **Directeur de production :** *André Duchesne;* **Correction :** *Christine Ouin;* **Adjointe à l'édition :** *Isabelle Lalonde;* **Photographie de page couverture :** *Corbis Images.*

Remerciements

À Christine Ouin et Marc Britan, à Daniel et André d'Ulysse, sans lesquels ce chef-d'œuvre n'aurait pas été si génial.

Bureau

Agence Serendipity S.N.C. : *5215 Victoria suite 16, Montréal H3W 2N8, ☎(514) 735 9487, agenceserendipity@bellnet.ca*

Distribution

Canada : *Les Guides de voyage Ulysse, 4176, rue Saint-Denis, Montréal (Québec), H2W 2M5, ☎(514) 843-9882, poste 2232, ☎1-800-748-9171, fax: (514) 843-9448, www.guidesulysse.com, info@ulysse.ca;* **France :** *Interforum, 3, allée de la Seine, 94854 Ivry-sur-Seine Cedex, ☎01 49 59 10 10, fax: 01 49 59 10 72;* **Belgique :** *Presses de Belgique, 117, boulevard de l'Europe, 1301 Wavre, ☎(010) 42 03 30, fax: (010) 42 03 52;* **Suisse :** *Havas Services Suisse, ☎(26) 460 80 60, fax: (26) 460 80 68; pour tout autre pays, contactez les Guides de voyage Ulysse (Montréal).*

Catalogage avant publication de la Bibliothèque nationale du Canada

Mansion, Hubert, 1960-
    Guide de survie des Européens à Montréal
    Comprend des réf. bibliogr. et un index.
    ISBN 2-923175-00-X

1. Montréal (Québec) - Guides. 2. Montréal (Québec) - Mœurs et coutumes - Humour. 3. Européens - Québec (Province) - Montréal - Humour. I. Titre.

FC2947.18.M36 2003   917.14'28044   C2003-941823-5

Imprimé au Canada

À Rebecca

Table des matières

Les chiffres et les lettres

Fraîchement débarqué

La deuxième semaine, on a compris que breuvage signifie boisson, ustensile, couvert, chum copain, bienvenue de rien, poutine n'essayez pas, liqueur, tout ce qui se boit sauf l'eau; que job a changé de sexe en passant l'Atlantique, que gang se prononce gagne et que le mot de Cambronne se dit avec un a, quand on suggère de la manger. Il faut six mois, ensuite, pour comprendre le sens exact de niaiseux, trouver l'équivalent précis de magasinage, cédule et pogner; pour saisir que versatile n'est pas pantoute employé dans le sens du dictionnaire. Et il faut tout un hiver pour comprendre l'expression « tempête de neige » qui suppose de la neige mais pas forcément de vent et encore moins de tempête. Il faut ainsi plus de temps pour s'acclimater au langage qu'à la température : mais quand on l'a fait, il reste tout à comprendre.

Car il y a les mots anglais qu'on ne prononce qu'avec l'accent américain. On ne dit pas « party » mais «pawdi »; il y a les mots français auxquels on ajoute des t à la masse; on doit dire icitte pour ici, au boutte pour au bout, et même « j'ai faite mon devoir de français». Mais cela n'est encore rien.

Car outre les mots, il y a les formules, tu le sais-tu ? On ne dit pas « ensuite » mais « ensuite de ça » qu'il faut prononcer « ensuite de tso ». On ne dit pas une amie, mais une amie de fille. Pourquoi ? On n'en sait rien. Quand on émigre, on ne juge pas : si l'on trie, on ne peut pas tout connaître. Et quand on a compris tout ça, on n'a rien compris.

Car il reste à comprendre le principal : ce que tout cela veut dire. Qu'un Québécois disant « çô lô » indique son désaccord, comment pourrait-on le savoir avant de l'avoir subi ? « çô lô » ne désigne pas un objet qui serait quelque part, mais l'état d'un Québécois au bord de l'implosion; où pourrait-on l'apprendre autrement qu'ici ? Les étrangers prétendent qu'un Québécois ne dit jamais non en face. Peut-être que ce mot n'existe pas, en effet, car on l'entend rarement. Mais il y en a deux qui le remplacent et qui sont pires : quand, après avoir dit « çô lô », un

Québécois finit par « lô lô », il dit à la fois : *f* you* pour les Américains, *aux armes citoyens* pour les Français, *fa fan culle* pour les Italiens et tous à l'abri pour tout le monde : ce n'est peut-être plus du français, ce n'est pas encore de l'espéranto et ce ne sera jamais de l'espagnol. Mais ceux qui n'ont pas compris le comprendront dans cinq secondes.

Leçon de survie

LES MOTS

Il est très dangereux de corriger les Québécois : il suffit de les traduire. Parfois il faut, dans la même minute, traduire leur français en anglais et leur anglais en français pour comprendre quelque chose et c'est sans doute pourquoi l'Immigration favorise les candidats bilingues. Sur Saint-Denis, il y a ainsi un restaurant où l'on affiche **Chiens-Chauds** mais quand on en commande, la serveuse demande si on le veut **all dressed** (prononcer **ôldress**). Elle demande la même chose pour les « hambourgeois ». Le fait ne date pas d'hier car en 1902, un voyageur français avait noté cette inscription vue à Québec : « Prohibé d'outrepasser les prémises ».

Ceci dit, les Français devraient arrêter de m'énerver avec leur problème d' « accent québécois ». Premièrement, il est heureux que les gens aient un accent. C'est pourquoi je ne reproche pas aux Parisiens le leur (qui est souvent franchement agaçant); deuxièmement, l'accent qu'ils reprochent à nos amis ne vient pas du Québec mais de France, précisément de Normandie; troisièmement, il serait plus utile, pour les Français, d'apprendre à parler l'anglais que de critiquer le français des autres, non ?

Enfin, contrairement à une idée répandue chez les Européens, Montréal a toujours été bilingue et il est heureux que le français qu'on y parle soit différent d'ailleurs : le jour où nous parlerons tous de la même manière, qu'aurons-nous à apprendre aux Ricains ?

Statistiquement à Montréal vous avez :

37 % de chance de rencontrer quelqu'un qui ne parle que le français;

10 % qu'il ne parle que l'anglais;

49 % qu'il parle les deux langues;

4 % qu'il ne parle ni l'une ni l'autre (c'est ce qu'on dit à propos des Premier Ministre du Canada, qui sont généralement Québécois).

Au Canada, **5,3 millions de gens** n'ont aucune des deux langues nationales comme langue maternelle alors qu'il n'y a que **6,7 millions de francophones** dans tout le pays (22,9 % de la population totale).

Les Américains trouvent que les Canadiens anglophones ont un accent particulier uniquement quand ils prononcent la lettre z. Ils disent « zed » au lieu de « zee ». Fabuleux comme info, non ?

On sait tous en arrivant que les Québécois disent **char** pour voiture et **bienvenue** pour « de rien ». De leur côté ils savent, en débarquant en France, qu'on dit **parking** pour « stationnement » et **chat** pour « clavardage ». Certains mots sont moins faciles à comprendre pour nous.

Inversement, il y a des mots de notre vocabulaire courant qu'ils ne comprennent pas. En dehors de tout folklore, cela pose parfois des problèmes pratiques réels et il faut donc consulter les dictionnaires suivants :

I - Lexique québécois-français

QUAND ILS DISENT	ÇA VEUT DIRE
Abreuvoir	fontaine
Achaler	énerver
Agacer	titiller
Aiguisoir	taille-crayon
Allo	bonjour
Amie de fille	amie
Aréna	stade de hockey
Aréoport	aéroport
Arrêt	stop
Autochtone	indien
Balayeuse	aspirateur
Bas	chaussette
Barrer (une porte)	verrouiller
Bonjour	au revoir
Bec (un)	baiser (un)
Bibitte	insecte
Blé d'inde	maïs

QUAND ILS DISENT	ÇA VEUT DIRE
Blonde	petite amie
Brassière	soutien-gorge
Brocheuse	agrafeuse
Brosse (prendre une)	prendre une cuite
Brûler (un CD)	graver
Cabaret	plateau
Camisole	Débardeur
Canceller	annuler
Canne	boîte de conserve
Capoter	flipper
Cartable	classeur
Céduler	planifier
Cenne (une)	cent (un)
Chandail	t-shirt/sweet-shirt/top
Change	monnaie
Chat sauvage	raton laveur
Chauffer une voiture	la conduire
Chevreuil	cerf
Chialer	se plaindre
Chum	petit ami
Code NIP	code Pin
Communauté culturelle	immigrés
Craque	selon le contexte, fente des fesses ou du décolleté
Crayon	bic
Croche	mal foutu
Cruiser (« crouzer »)	draguer
Cueillette	retrait d'un document par un coursier
Débarrer	ouvrir
De même	comme ça
Denturologiste	dentiste prothésiste
Dispendieux	très cher
Douillette	couette
Échapper (quelque chose)	laisser tomber
Écœurant	fantastique
Écouter un film	regarder un film[1]

---

[1] Provient de l'époque où la télévision n'émettait pas d'images.

QUAND ILS DISENT	ÇA VEUT DIRE
En tous cas	bref
Éventuellement	finalement
Fête	anniversaire
Filer	se porter
Filière	armoire
Fin	gentil
Fin de semaine	week-end
Fiter	ajuster
Flusher	jeter, virer
Football	football américain
Frencher	embrasser avec la langue[2]
Foufounes	fesses
Gang (une)	bande
Gaz	essence
Geler	anesthésier
Gosses	testicules
Guidoune	pétasse
Joual	patois indigène
K.F.C.	P.F.K.
Kétaine	ringard
Lâcher un call	faire un appel au téléphone
Le monde	les gens
Magasiner	lécher les vitrines
Maganer	abîmer
Manette	télécommande
Maringouin	moustique
Matante	ringard
Mêlant	compliqué
Mêlé (être)	être confus
Millage	kilométrage
Mononc	mon oncle et ringard
Mope (une)	serpillière
Mouffette	putois
Napkin	serviette de table
Niaiser	faire marcher

---

[2] En pratique : poser les lèvres sur la bouche du (de la) partenaire. Au moment où il (elle) l'ouvre pour respirer, y introduire subrepticement mais virilement (délicatement) la langue. Si l'indigène répond « *Stie d'câlice !* », ne pas recommencer.

QUAND ILS DISENT	ÇA VEUT DIRE
Nioufi [3]	belge (C'est l'histoire d'un Belge …)
Odomètre	compteur kilométrique
Ôldress	tout garni (se dit à propos des hot-dogs et des pizzas)
Pamphlet	dépliant publicitaire
Pantoute	du tout (pas pantoute : pas du tout)
Patente	chose, truc
Par exemple	par contre
Party	soirée
Party de Noël	orgie
Peut-être	non
Peser sur	appuyer
Piasse (une)	dollar
Pièce de 30 sous (une)	pièce de 25 cents
Piton	touche de clavier
Pitonner	taper
Pitoune	gonzesse [4]
Placotter	bavarder
Platte	ennuyeux
Poche	mauvais, nul
Pot	marijuana
Poudrerie	fine neige chassée par le vent
Pouceux	auto-stoppeur
Réchauffer un café	en resservir
Régulier	normal
Salle de bain	toilettes
Sauf que	mais
Serrer	ranger
Sloch	neige sale et fondue qui fait « slotch »
Sontaient (ils)	étaient (ils)
Sous-marin	sandwich
Steammé	cuit à la vapeur
Stie de	* !$?? de
Soccer	football

---

[3] Vient de New-Foundland (Terre Neuve).

[4] Selon certains experts, pitoune signifie aussi « *troncs d'arbres ébranchés et coupés à la bonne dimension pour la fabrication du papier* ». Rare dans cette acception à Montréal, mais on a retenu la notion de « coupé à la bonne dimension ».

QUAND ILS DISENT	ÇA VEUT DIRE
Sou	cent
Sou noir	pièce de un cent
Spécial	solde
Suçon	sucette
Sucette	suçon
Sur le pouce (voyager)	faire du stop
Tabarnak	tabernacle
Tabarnacle	bordel de merde
Table d'hôte	menu du jour
Tanner	ennuyer
Tape (« tépe »)	ruban adhésif
Temps des fêtes	du 15 décembre au 34 décembre
Téteux	pointilleux
Ticket	PV
Toune	chanson
Transiger	faire des affaires
Tremblay	Dupont
Tu	vous
Tuque (une)	bonnet
Vente	solde
Versatile	ayant de nombreux dons
Wiper	essuie-glace

LES EXPRESSIONS

Les expressions méritent également une traduction car elles sont pour nous, et même après des années, tout à fait incompréhensibles.

 Un orignal des orign.... ?

Le téléphone linguistique est un service gratuit de l'Office de la langue française. Vous voulez savoir si l'on écrit 1,5 million ou 1,5 millions ? Téléphonez au *873-9999*, tapez *1* puis *760* et un enregistrement automatique vous répond. Il y a comme cela 195 sujets répertoriés (participe passé avec les verbes impersonnels, tapez 555, du ou dû 345) mais malheureusement aucune liste n'est disponible directement. Il faut la commander sans faute d'orthographe.

(PS : orignal c'est comme cheval.)

2. Lexique des expressions courantes

QUAND ILS DISENT	ÇA VEUT DIRE
Arrive en ville	réveille-toi, sois réaliste
C'est de valeur	c'est dommage
Ce s'ra pas long	ça va prendre un certain temps
C'est complet ?	le compte est juste ?
Chez eux	chez lui (elle)
Chez nous	chez moi
Crisser son camp	partir
Donner un quiou	donner une information
Être chaud	être saoul
Fait frette en titi	on se les gèle
Fait que	(se dit quand on a rien à dire)
Garoucher une patente	lancer un truc
Icitte	ici
Mange de la marde	(interjection inconvenante)
Mets en ! « Mézan »	tu l'as dit ! Et comment !
Oh boy !	oulala !
On vous a répondu ?	on s'occupe de vous ?
Pas pire	pas mal
Petite vite (une) [5]	baise express (une)
Serdon la balayette dans la dépense	range l'aspirateur dans le placard
Stie d'câlice	expression de mécontentement
Stie d'câlice de ciboir	expression de sérieux mécontentement
Ta-ben-jwi ? (expression amérindienne)	as-tu aimé notre nuit d'amour ?
Votre appel est important pour nous	attendez que quelqu'un décroche
Y a pas personne	il n'y a personne
Y mouille à ciaux	fichtre, quelle pluie diluvienne

---

[5] Du latin « quick fuck ».

Alors que nous ne comprenons pas le leur, les Québécois comprennent très bien notre vocabulaire. Mais il y a quelques exceptions.

3. Lexique français-québécois

SI VOUS VOULEZ DIRE	DITES
Agrafeuse	brocheuse
Au revoir	bonjour
Bonjour	allo
Bic	crayon
Caddie	carrosse
Café (un)	expresso
Caravane	roulotte
Chialer	pleurer
Classeur	cartable
Clébard	chien
Coursier	courrier
Distributeur de billets	guichet automatique
Faire ses courses	magasiner
Feu de circulation	lumière
Football	soccer
J'adore vos enfants	j'adore vos enfants[6]
Liqueur	alcool
Menu	table d'hôte
Meuf	femme
Occasion (d')	seconde main, usagé(e)
PCV	appel à frais virés
Poncer	sabler
Pressing	nettoyage à sec
Ringard	kétaine
Ruban adhésif	tépe
Solde	spécial
WC	salle de bains

LES NOMS DE VILLES

Les noms de villes proviennent du français, de l'église catholique, de l'amérindien et parfois de tout en même temps car les Québécois ont

---

[6] voir le mot « gosses » ci-dessus.

inventé des noms de saints sur la base de mots indiens. Ils en ont aussi donné en hommage à un maire local ou parce qu'ils ne trouvaient rien d'autre. Un vrai mic-mac.

EN AMÉRINDIEN ET EN VRAC

Chibougamau	lieu de réunion
Chicoutimi	fin de l'eau profonde
Mégantic (lac)	transcription approximative de « Namagontekw » qui signifie en abénaquis : « lac à la truite saumonée »
Mont-Tremblant	cet endroit s'appelait « Manitou Ewitchi Saga », ce qui signifie en algonquin « les monts du terrible Manitou » car les Indiens pensaient que si l'on dérangeait la nature, Manitou ferait trembler la montagne. Trembler... tremblant...
Québec	là où c'est étroit (où le fleuve se resserre)
Saguenay	source des eaux
Tadoussac	en montagnais : « les seins, les mamelles » (à cause des collines)

Donc, si vous dites par exemple : « mégantic tadoussac » ça signifie (à peu près) : « viens faire du **topless** dans une petite crique que je connais où il y a des truites saumonées » (si elle vous répond « Mont-Tremblant », c'est qu'elle préfère le Hilton).

Canada vient de l'iroquoien « *kanata* » qui signifie « ensemble de cabanes » et par extension, village.

Les noms de famille viennent essentiellement de France. Comme vous avez pu le constater, 83 620 personnes s'appellent **Tremblay** au Québec. Le second nom le plus répandu est **Gagnon** (60 680). Mais ce qui est vraiment surprenant, c'est que 798 personnes s'appellent **La Framboise**, et 799 **Surprenant**.

LES LETTRES

Les claviers québécois sont de type qwerty améliorés car ils comprennent les accents. Si ce n'est déjà fait, sélectionnez « clavier » dans le panneau de configuration Windows, puis « Français du Canada ».

Il arrive fréquemment (dans les cafés Internet) de ne disposer que de claviers américains où l'on ne trouve ni les é, ni les è, ni les à, ni les ô… Pour éviter que vos correspondants pensent que vous avez oublié l'accent :

POUR ÉCRIRE	TAPER ALT ET
é	130
è	138
à	133
â	131

POUR ÉCRIRE	TAPER ALT ET
û	150
ù	151
ê	136
ô	147
û	150
î	140
ç	135

Par ailleurs, le format A4 est inconnu des imprimantes qui utilisent le format « letter ». Pour ceux qui ont apporté leur ordinateur européen mais qui ont acheté une imprimante québécoise, la colocation n'est pas facile. Dans le logiciel d'impression, choisir « adapter le format A4 en letter » ou créer un nouveau format de page par défaut. J'ai mis deux ans à comprendre.

COMPRENDRE UNE PETITE ANNONCE

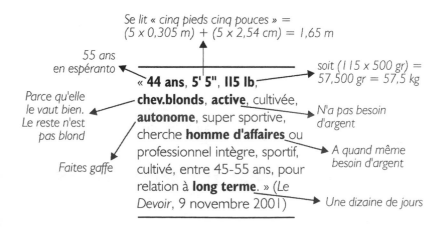

Se lit « cinq pieds cinq pouces » = (5 x 0,305 m) + (5 x 2,54 cm) = 1,65 m

55 ans en espéranto

Parce qu'elle le vaut bien. Le reste n'est pas blond

Faites gaffe

« **44 ans, 5' 5", 115 lb,** **chev.blonds**, **active**, cultivée, **autonome**, super sportive, cherche **homme d'affaires** ou professionnel intègre, sportif, cultivé, entre 45-55 ans, pour relation à **long terme**. » (Le Devoir, 9 novembre 2001)

soit (115 x 500 gr) = 57,500 gr = 57,5 kg

N'a pas besoin d'argent

A quand même besoin d'argent

Une dizaine de jours

LES CHIFFRES

Le système métrique est légalement en vigueur au Canada depuis 1971, c'est pourquoi on compte encore avec le système « impérial » institué par l'Angleterre en 1829. Super pratique. Il suffit de savoir que l'équivalence est à peu près :

1 livre (1 lb)	½ kilo
1 pied (1 pi)	30 cm (comparez avec le vôtre)
1 pouce (1 po)	2,5 cm (comparez avec le vôtre)
1 verge (1 v)	1 mètre (ne comparez pas)
1 once (1 on)	28 grammes
1 pinte (1 pt)	1 litre

Le pire ce sont les pieds carrés qui valent :

1 pied carré = 0, 093 m². Pour simplifier, 10 m² = 100 « pi ca ».

Pour les **températures**, la météo calcule en degrés Celsius mais les cuisinières et les fours en degrés Fahrenheit. Retenons que :

400° F = 200° C

et ça suffit car personne ne cuit rien à 400° C.

Comme le système impérial avait aussi ses mesures de cuisine :

1 tasse	250 ml
1 cuiller à thé	5 ml

Reste le problème des **tailles de vêtement**. La règle est très simple car les Québécois commencent à compter quand nous sommes à 30. Ainsi, un 36 correspond à un 6 ici et un 12 est pour nous un 42. Exercice : quel est l'équivalent d'un 38 ? Il fallait répondre un 8 (final answer). Passez quand même par la cabine d'essayage.

Pour **les pointures**, la formule est: $\cos x^2(a+b)^3$

En pratique :

Hommes		Femmes	
Europe	**Canada**	**Europe**	**Canada**
38	5	36	5
39	6	37	6
40	7	38	7
41	8	39	8
42	9	40	9
43	10	41	10

La **pression artérielle** est multipliée par 10. Une tension normale est ainsi de 120.

Mais la **pression des pneus** se calcule en kilopascal.

Si ça vous passionne, la vraie table de conversion est la suivante :

LONGUEUR	
1 pouce	2,54 cm
1 pied	0,305 m

LONGUEUR	
1 verge	0,914 m
1 mille	1,609 km

SUPERFICIE ET VOLUME	
1 pouce carré	6,452 cm^2
1 pied carré	0,093 m^2
1 verge carré	0,836 m^2
1 mille carré	2,59 km^2
1 acre	0,405 ha
1 chopine	0,567 litres
1 pinte	1,135 litres
1 gallon	4,534 litres

Si ça vous survolte, il faut savoir en outre que les mesures américaines ne correspondent pas aux mesures canadiennes qui sont anglaises. Or rien de ce qui est anglais n'a son équivalent quelque part dans le monde, sauf au Canada. C'est pourquoi un gallon (américain) n'est pas un gallon (canadien-anglais).

Les Nord-Américains mettent des virgules où nous mettons des points. Quand ils écrivent : 12,330, il faut lire douze mille trois cent trente. En principe, les Québécois n'emploient la virgule que pour la décimale, mais il est prudent de vérifier...

On écrit les **numéros de téléphone** en séparant seulement les trois premiers chiffres : 123-4567 et on prononce les chiffres un par un.

Quand ils parlent de leur **salaire**, les Québécois donnent leurs revenus annuels (bruts) et non pas mensuels. S'ils prétendent gagner 125 547 $, il faut leur demander de diviser par douze pour savoir combien ils gagnent par mois (alors que la plupart d'entre eux sont payés à la semaine).

Vous vous sentez déboussolé ? Voilà le pire. Le nord des Montréalais... n'est pas le nord. En effet, on considère que le Saint-Laurent coule d'est en ouest. Mais en réalité quand il arrive dans le centre-ville, il fait un crochet vers le nord. C'est pourquoi les artères parallèles au Saint-Laurent sont dites est-ouest (au lieu de nord-sud) et celles qui lui sont perpendiculaires sont dites nord-sud (au lieu de est-ouest). Tout ceci n'explique d'ailleurs absolument pas pourquoi les Cantons de l'Est sont au sud, finalement.

VOTRE ACCENT EST IMPORTANT POUR NOUS...

Les logiciels de reconnaissance vocale utilisés dans certaines entreprises ne reconnaissent que l'accent québécois et il vous faudra l'imiter si vous voulez être compris. Vous voulez parler à Mélanie Leblanc ? Dites à l'ordinateur « Mélanie Leblin ». Sinon il vous enverra chez Isabelle Lasalle.

Un dernier mot, le plus bizarre de tous : **orignal** ne vient pas du français, ni de l'anglais, ni de l'indien mais… du basque ! Orignac signifie élan. Le terme a été adopté par les Indiens au cours des contacts qu'ils entretenaient avec les pêcheurs venus des côtes françaises.

Se déplacer à Montréal

Leçon de survie

LA GÉOGRAPHIE DE LA VILLE

Ce qui est très énervant pour un Européen, c'est que les Québécois parlent sans cesse de nord, sud, est et ouest pour tout indiquer. Inutile de consulter une boussole puisque ces directions sont imaginaires. En réalité, il ressort de mes explorations qu'il existe plusieurs artères importantes :

Le boulevard Saint-Laurent : il coupe la ville en une ligne est-ouest. En montant le boulevard, tout ce qui est à gauche est à l'ouest et le reste est à l'est. Certains prétendent qu'il trace aussi une frontière linguistique entre les francophones et les anglophones. Je n'ai jamais remarqué.

La numérotation des immeubles recommence à zéro quand on passe de l'est à l'ouest. Dans une même rue, il y a donc très souvent deux mêmes numéros. Par ailleurs, les chiffres montent toujours en allant vers le nord (à partir du fleuve).

La rue Saint-Denis : elle est parallèle à la rue Saint-Laurent. Or il faut savoir que la numérotation des immeubles est la même que dans toute rue qui lui est parallèle. Ainsi, le 2300 St-Laurent est exactement à la même hauteur que le 2300 St-Denis, St-Hubert, etc. Chouette ce guide, non ?

La rue Sainte-Catherine : elle est perpendiculaire aux deux premières et à plein d'autres évidemment, qu'elle coupe en bas (au sud).

Et nous terminons cette visite avec **la rue Jean-Talon**, notre père à tous, qui coupe en haut (au sud) Saint-Laurent, Saint-Denis, etc. Elle est donc parallèle à celle qui les coupe en bas (au nord), la rue Sainte-Catherine. Pourquoi notre père à tous ? Il est l'un des premiers à installer deux mille immigrants au Canada. Et il impose une amende aux célibataires. Ainsi, vous êtes au Québec grâce à Jean. Et votre coloc est sur terre grâce à lui itou.

Quoi qu'il en soit, les rues sont tellement longues que personne ne comprendra où vous voulez aller si vous n'indiquez pas la « rue transversale », c'est-à-dire la plus proche rue perpendiculaire à la vôtre. À Montréal, on ne dit donc jamais : « j'habite au 3505 rue Clark » car personne ne sait où c'est, mais : « j'habite sur Clark et Prince-Arthur ». Au début, on pense que tous les Québécois habitent à des coins de rue, mais en fait, il y en a aussi qui habitent dans la rue elle-même.

Les arrondissements

Depuis le 1er janvier 2002, le « grand Montréal » est divisé en arrondissements, dont certains, avant cette date, étaient des villes.

Le Vieux-Montréal a un karma pas possible. Longtemps la cible des Indiens, il l'est aujourd'hui des touristes. Rasé par de nombreux incendies, il a finalement été titré arrondissement historique en 1964. C'est donc là que les Américains viennent visiter l'Europe.

Saint-Henri, au bord du canal Lachine, fut l'un des quartiers les plus pauvres de Montréal. Samuel Bellow et Oscar Peterson y sont nés. Aujourd'hui en passe de devenir le nouveau Plateau car les usines désaffectées sont transformées en lofts, il a été le symbole du milieu ouvrier francophone. Pourquoi « Lachine » ? Pour se moquer d'un certain Robert (Cavelier de La Salle) qui voulait découvrir le chemin pour aller en Chine en passant par l'Amérique. En fait, il fallait passer par Dorval.

Outremont au contraire, représente le Neuilly francophone, et autrefois celui des Iroquois. Ce quartier se bat pour redevenir une ville. On distingue Outremont ma chère, Outremont casher et Outremont pas cher.

Westmount, c'est idem, mais pour les anglophones. Même combat.

Le centre-ville est situé entre le Vieux-Montréal et le Mont-Royal. (Le problème avec le centre-ville, c'est qu'il y a beaucoup de flèches pour indiquer comment y aller, mais aucune pour avertir qu'on y est). Majoritairement francophone. Au début du XXe siècle, l'ancien quartier des affaires installé sur la rue Notre-Dame s'y est déplacé. La rue Sainte-Catherine serait aujourd'hui la plus grande artère commerciale du Canada.

Statistiquement, **Côte-des-Neiges** n'est majoritairement ni francophone ni anglophone. On y parlerait cent dix langues au sein des quatre-vingts « communautés culturelles » qui y résident : vietnamiens, espagnols, arabes, français…

Le Plateau est le lieu de la spéculation immobilière par excellence, un peu snob, un peu intello, peuplé d'Européens.

Rosemont–Petite-Patrie, au nord du Plateau, doit son nom au roman autobiographique de Claude Jasmin dont a été tiré un téléfilm. Il s'agissait autrefois d'un quartier industriel où travaillaient de nombreux immigrés italiens. Les usines abritent aujourd'hui des bureaux.

Hochelaga-Maisonneuve est le quartier du Stade olympique. Quand Jacques Cartier débarque à Hochelaga en 1535, il refuse de participer à une fête organisée par les Iroquois mais il leur lit l'évangile en français. Devant leur scandaleuse incompréhension, il escalade le mont Royal pour y faire sa grande déclaration. Or pour aller du Stade olympique au mont Royal, il faut au moins trente-cinq minutes, vu le nombre de stops. C'est pourquoi les historiens pensent qu'Hochelaga se trouvait alors à Outremont, en fait. Non seulement ce guide est utile, mais il est rempli d'humour. Et dans quelques lignes, vous apprendrez pourquoi il n'existe de toilettes publiques dans aucun de ces quartiers.

Le Village se situe entre le Saint-Laurent et le parc Lafontaine, délimité par les rues Saint-Hubert et de Lorimier. Branché, bien sûr.

La Rive-Sud se trouve juste après les embouteillages. Il suffit de passer le pont.

LES MOYENS DE TRANSPORT

Le bus : les lignes sont numérotées comme partout dans le monde. Mais étant donné que les rues sont longues et souvent à sens unique, le trajet des bus se limite à une rue.

Pour connaître l'horaire d'un autobus, appeler le **a-u-t-o-b-u-s** *(288-6287)* et taper le numéro du bus.

On ne dit pas le 51 mais *la 51*. Ce n'est pas en raison de une autobus mais de une ligne d'autobus. Ce guide est vraiment unique.

À l'intérieur de Montréal, le tarif est de 2,50 $. Il faut se munir de la monnaie exacte car les chauffeurs ne font qu'encaisser. On peut se procurer des tickets dans les stations de métro, les dépanneurs et les drugstores (lisière de 6 tickets pour 10 $, je viens carrément de vous faire économiser 5 $) ou une carte CAM hebdomadaire (16 $) ou mensuelle (54 $). Bien sûr, ces tickets servent à la fois au bus et au métro et il existe de nombreux tarifs réduits, notamment pour les touristes, les étudiants, « l'âge d'or », etc.

Le métro : le métro est propre, sûr, bien organisé, mais il n'y a pas de toilettes publiques. Un seul ticket donne droit à une correspondance avec un bus, pour autant qu'on se munisse, à la station de départ, d'un ticket de correspondance (gratuit) dans un distributeur situé juste après le portillon et que la correspondance soit prise dans la demi-heure. Il faut le garder sur soi pour le donner au chauffeur du bus. L'explication sur les toilettes publiques approche.

Le dernier métro : selon les lignes, entre minuit et minuit et demie en semaine, vers une heure le week-end.

Le taxi : on le hèle, on le trouve dans des stations et on le commande par téléphone. Il y en a en abondance dans le centre, peu ailleurs. La prise en charge est de 2,50 $ et le pourboire n'est pas obligatoire mais courtois. Il n'y a pas de tarif de nuit.

À Montréal, les taxis sont d'une correction incroyable. Il n'y a aucune distance minimum, on peut monter à quatre personnes sans subir l'humeur du chauffeur et en cas d'appel par téléphone, le voyage jusqu'au lieu de prise en charge est gratuit. La plupart des voitures sont non-fumeurs.

Taxi Diamond
(273-6331)

Co-op Taxi De Montréal
(725-9885)

Co-op Taxi de l'Ouest métropolitain
(636-6666)

 Unitaxi *(482-3000)*. Si vous rêvez de **grosses (voitures) amé–ricaines**. Pas plus chers que d'autres taxis. Mais immenses.

La voiture :
(voir p. 53)

Le vélo :
on vole des vélos à Montréal, (c'est pourquoi la plupart des vélos attachés à un poteau sont démontés. Il y manque tantôt la selle, tantôt une roue). Il n'y a pas d'immatriculation obligatoire ni de taxe.

• On loue des vélos, y compris des vélos électriques : **Ça roule** *(866-0633)*.

• On donne des vélos à **SOS Vélo** plutôt que les laisser rouiller sur la terrasse : *2085 rue Bennett, suite 101 (251-8803)*.

• On regarde les vélos quand on conduit en voiture (car eux ne regardent pas).

• On roule à vélo presque autant qu'à Amsterdam : le réseau de

pistes cyclables dépasse les
350 km.

• **Le vélo et le taxi :** certaines
compagnies disposent d'un porte-
vélo pour 3 $ de plus.

Les mobylettes :
pratiquement inexistantes à
Montréal, sauf le genre Vespa. Les
motos sont en revanche très
utilisées dans le crime organisé.

LES TOILETTES PUBLIQUES

Et voici le moment attendu : il n'y a
pas de toilettes publiques de type
vespasienne parce que Jean
Drapeau, ancien maire de Montréal,
avait décidé qu'elles ne servaient
qu'à abriter les malades sexuels.
Donc il les a toutes fait supprimer
puis a interdit qu'on en bâtisse dans
le métro, bravo Jean. C'est donc un
empereur romain qui invente les
toilettes publiques et un maire
montréalais qui les désinvente :
l'auteur de ce guide a un sens inné
de la synthèse historique et réussit à
nous faire traverser deux mille ans
d'histoire d'un seul trait de plume.
Saluons l'auteur de ce guide.

Emménager à Montréal

Fraîchement débarqué...

À Fred

Un immigrant est tout de suite plongé dans des questions pratiques dont il ne soupçonnait pas l'importance et qui doivent être résolues dans l'heure : où achète-t-on du produit de vaisselle, des transformateurs ? À quelle heure les magasins ferment-ils ? Quel est le meilleur café ? La meilleure grande surface ? Quand commence la fin de semaine ? Comment appelle-t-on la crème fraîche ? Pourquoi n'existe-t-il nulle part des gants de toilette ? Chacun, selon son origine, se pose mille questions; mais tout émigrant est irrésistiblement attiré vers un endroit magique, où il doit se pincer pour s'assurer qu'il ne rêve pas, parce qu'il trouve la réponse à bien de ces questions d'intendance : le Dollarama.

Le Dollarama ! Quel nom capitaliste ! Oui, il y a à Paris et à Bruxelles des « tout à un euro ». Mais d'abord, un euro c'est plus qu'un dollar; ensuite l'esprit européen n'a pas cette systématique américaine et bien souvent le « tout à un euro » est un « à partir de un euro ». Chez Dollarama, on ne joue pas à ces jeux. Tout est à un dollar, plus les taxes, évidemment. Tout ! Les couverts, les assiettes, les chaussettes, la poudre à lessiver, le tire-bouchon, les bougies et les bougeoirs, l'encens et les encensoirs, tout, absolument tout. De sorte qu'un immigrant décide qu'avec cent dollars il aura aménagé son appartement et le voilà, tout sourire et fier de son économie, s'en aller au Dollarama, écrire en Europe que l'Amérique n'est pas chère et recommander à tous de venir s'y installer.

Par la suite il déchante car on ne peut demander à des objets si peu « dispendieux » la qualité de ceux qui le sont plus. Les cuillers plient, les bougies s'évaporent et les tire-bouchons n'en tirent guère plus de deux. Il y a des réveils qui ne réveillent pas, des rasoirs qui ne rasent pas, enfin des tas d'objet qui n'ont d'extraordinaire que leur prix. S'en plaint-il ? Il en rit. Nous en rions tous quand nous nous retrouvons et en parlant d'un futur achat, on se demande mutuellement : « Chez Dollarama ? » avec l'air entendu de gens qui ont partagé le même vice. Enfin vient le temps où l'on fait le tri : on sait ce qu'il faut y acheter et y laisser. J'y passe toujours pour y retrouver ma naïveté des premiers jours et quand je vois des maudits Français remplir leur petit panier avec cet air de gourmandise qui nous caractérise, je me dis : ce type n'est pas un émigré. C'est un émigrant.

Leçon de survie

HEURES D'OUVERTURE

Des magasins
Lundi à mercredi : 10 h à 18 h
Jeudi et vendredi : 10 h à 21 h
Samedi : 10 h à 17 h
Dimanche : 12 h à 17 h

Des dépanneurs
Ouverts jusqu'à 23 h. Certains restent ouverts toute la nuit.

Des bureaux
Lundi à vendredi : 9 h à 17 h

Des banques
Généralement de 10 h à 15 h du lundi au mercredi. Plus tard, les jeudi et vendredi parfois 17 h, parfois 19 h. Certaines succursales sont ouvertes le samedi. Finalement, les banques sont de grandes fantaisistes.

De la poste
De 9 h 30 à 17 h 30 du lundi au vendredi (certaines postes restent ouvertes plus tard, infos au *1-800-267-1155*).

JOURS FÉRIÉS

À part les 1er janvier et autres fêtes classiques, c'est congé le :

3e lundi de mai :
fête de Dollard, ou des Patriotes, ou de la Reine d'Angleterre (au choix)

24 juin :
fête nationale du Québec (le Québec est la seule province au monde à avoir une fête nationale)

1er juillet :
fête nationale du Canada

1er lundi de septembre :
fête du Travail

2e lundi d'octobre :
Action de grâces

I I novembre :
(pour les organismes d'État)
jour du Souvenir

26 décembre :
boxing day (fête des soldes)

CHANGEMENT D'HEURE

Premier dimanche d'avril et dernier dimanche d'octobre.

DOLLARAMA

Il y a plusieurs Dollarama à Montréal. L'un des plus grands est situé sur Saint-Laurent coin Mont-Royal (à gauche après le feu). Un autre intéressant est dans la Galerie de la Cité, au sous-sol. On en trouve également sur Saint-Laurent (entre Jean Coutu et le Pharmaprix) et sur Saint-Denis. Dans le *« temps des fêtes »*, on y vend de nombreuses petites décorations de Noël qui peuvent servir toute l'année.

VENTES DE GARAGE

En été et jusqu'en octobre « dépendamment du climat », le moins cher, avec le Dollarama, ce sont les *« ventes de garage »*, c'est-à-dire les brocantes privées. Elles ont lieu essentiellement le samedi et on y trouve tout pour s'habiller à des prix sans aucune comparaison. Il faut un peu de patience mais l'activité est très amusante et permet de rencontrer des tas de gens plaisants.

LES MEUBLES : LES BONS PLANS

Beaucoup d'Européens ont trouvé leurs meubles chez **Jason** *(343-0208)* qui rachète le mobilier d'hôtel usagé. Un Français sur place vous rappellera pourquoi vous avez quitté la France.

Futon d'or : *3855 rue St-Denis (499-0438)* vend des quoi ?

Duvets naturels et à prix de gros chez **Ungava** : *10 av. des Pins O., suite 112 (287-9276).*

Pourquoi pas **IKEA** ? Il faut une voiture pour y aller mais l'avantage c'est que vous connaissez : Ikea Montréal, ouvert jusqu'à 21 h sauf le week-end, *9191 bd Cavendish, Ville Saint-Laurent (738-2167)* et

586 rue de Touraine, Boucherville (450-449-6755). On peut commander par téléphone et être livré. *www.ikea.ca.*

Brault & Martineau : si vous ne voyez pas ce que je veux dire, vous n'avez pas de télé. Dans ce cas, on en vend chez **Canadian Tire** et **Zellers** à des prix acceptables.

La Baie est un grand magasin incontournable du genre Galeries La Fayette, et en plein centre, ouvert tous les jours jusqu'à 21 h : *585 rue Ste-Catherine O. (281-4422).* On y affiche en permanence des soldes allant parfois jusqu'à 75 % d'un prix 75 % supérieur à la concurrence. Voir aussi la solderie au dernier étage.

ANTIQUITÉS

Les **antiquaires** se trouvent surtout sur Notre-Dame Ouest et Sherbrooke Ouest, et aussi, mais dans un autre genre à **L'Armée du Salut** : *1620 rue Notre-Dame O. (935-7425).*

TABLE ET CUISINE

Articles de ménage, casseroles, cafetières, ustensiles de cuisine à prix abordables : **La Cuisinière** : *3667 bd St-Laurent (844-7630).* Vaisselle, argenterie, arts de la table : à l'opposé du Dollarama, la magnifique boutique **Arthur Quentin**, chère et luxueuse : *3960 rue St-Denis.* Chez Dollarama, tout est fait en Chine, ici tout vient de France et d'Italie. Splen-dide.

Plus de 50 modèles de poivriers Peugeot chez **Trésors de ma maison** : *3301 rue Fleury E. (321-4373).* Ça n'a rien à voir mais on ne vend plus de voitures Peugeot au Canada. Ni de Citroën, ni de Renault. Celles qu'on voit ont été importées de France à titre d'ancêtres. D'ailleurs, j'aimerais que

le propriétaire de l'ID décapotable qui est souvent garée sur Saint-Denis m'appelle immédiatement. Je suis intéressé.

Montréal est réputée pour ses centres commerciaux. La plus importante galerie commerciale est le **Centre Eaton** : 180 boutiques, quatre étages, ouvert tous les jours jusqu'à 21 h, le samedi jusqu'à 17 h *(705 rue Ste-Catherine O.).* Comme dirait le *Michelin*, en sortant de ce centre, prenez à droite en profitant de la vue longitudinale sur la rue Sainte-Catherine parsemée de promeneurs nonchalants et de naïfs transsexuels. Dès que vous voyez une cathédrale, descendez sous terre : vous entrez dans les **Promenades de la**

Cathédrale *(652 rue Ste-Catherine O.)*. Beaucoup de boutiques de mode et quelques restaurants. Tout en admirant la luxuriance des devantures, le promeneur avisé rejoindra sans le savoir la **Place Ville-Marie** *(4

Place Ville-Marie) également souterraine (80 magasins). Pour savoir comment sortir de ce centre, avisez un quidam et demandez-lui : « Comment sortir de ce centre ? »

Sauf indication contraire (**les soldes**), vous pouvez toujours rapporter au magasin ce que vous y avez acheté, **30 jours** après l'achat, pour autant que vous conserviez le **ticket de caisse** et **l'emballage**.

VOLTS, HERTZ, ET PRISES PLATES

L'Amérique du Nord fonctionne à 110 volts, 60 hertz et à prises plates. Il est donc inutile d'apporter son fer à repasser et tout article électroménager car il faudra acheter des transformateurs plus coûteux que de nouveaux appareils, à l'exception des cuisinières et sécheuses qui, même ici, fonctionnent en 220 volts/60 hertz.

Certains appareils européens peuvent néanmoins être emportés car ils fonctionnent sans transformateur externe : l'inscription « 110/220 V » au dos de l'appareil indique qu'il peut fonctionner dans les deux voltages mais qu'il faut le commuter. Au contraire, l'indication « 110-220 V » signifie que l'appareil possède un commutateur automatique. Il n'y a donc aucune opération à effectuer. C'est le cas de la plupart des ordinateurs portables.

Le fait que l'intensité de la lumière diminue subitement quand on branche un fer à repasser est un phénomène canadien normal.

Transformateurs : les transformateurs ne modifient pas les fréquences (les hertz). On en trouve facilement sur Saint-Laurent entre de Maisonneuve et Ontario.

Pour trouver des adaptateurs : Jean Coutu, Uniprix en vendent à bas prix.

Certains électriciens européens ont découvert qu'il est possible de faire fonctionner des appareils à 220 V et 60 Hz sur le 110 d'ici en reliant deux phases 110 V avec un neutre pour le retour. N'y connaissant absolument rien, cette description me terrifie. En plus, il est interdit de faire soi-même ce genre de bidouillage, il faut un électricien agréé. Si vous tenez absolument à rencontrer un pompier : Association des ambulanciers, pompiers, agents de sécurité et de parasécurité publique gais, lesbiennes et bisexuel(s) du Québec (AGAPAS : *528-8424*).

Faire ses courses à Montréal

Leçon de survie

Notez sur votre liste de courses que : Les « pâtisseries » sont des traiteurs, les « épiceries » des grands magasins, les pharmacies contiennent souvent un bureau de poste tandis qu'on appelle « magasins à rayons » les hypermarchés où l'on ne vend pas d'alimentation. En résumé, les pharmacies sont des magasins à rayons où l'on vend des timbres.

LES ÉPICERIES

Provigo, Loblaws, Maxi, Marché Mourelatos, IGA, Quatre Frères, Métro. Certaines sont ouvertes toute la nuit (Quatre Frères) et beaucoup le sont jusqu'à minuit. Il est intéressant de surveiller les promotions et de découper les coupons dans les journaux gratuits de ces grandes surfaces. Ça fait cheap mais 1 $ + 1 $ + 1 $...

À certaines conditions, on peut obtenir une « carte COSTCO » qui ouvre l'accès aux centres d'achat en gros CLUB PRICE.

ARRÊT STOP **Le top du cheap**
Distribution Aubut est une grande surface où s'approvisionnent les dépanneurs pour nous revendre tout ça quatre fois plus cher : Aubut est moins dispendieux (faudra vous y faire) que toutes les grandes surfaces et aucune carte d'adhésion n'est requise. Du lundi au vendredi de 7 h 30 à 18 h et le samedi jusqu'à 17 h *(3975 rue St-Ambroise, métro Atwater : 933-0939).*

LES ÉPICERIES FINES

Latina
185 rue St-Viateur O. (273-6561) dans le genre épicerie de luxe pas trop chère

La Vieille Europe
3855 bd St-Laurent (842-5773)

Marché Asselin
1284 rue Beaubien E. (271-7720)

Benfeito & Fils
4800 rue St-Dominique
(844-1813)

Fouvrac
1451 av. Laurier E. (522-9993)

Rachel-Berry
2005 rue Ste-Catherine E.
(525-2215)
a plusieurs succursales et un site
Internet **www.rachelberry.com**

Maître Gourmet
1520 av. Laurier E. (525-2044)

Au coin de Parc et Milton, se trouve
une épicerie où tout est moins cher
que chez Provigo ou autre grande
surface. Sur Saint-Laurent, un peu
avant Duluth, un grand magasin
portugais propose des prix
intéressants pour l'alimentation.

LES BOULANGERIES

Montréal est réputée pour les
« **bagels** » (petits pains casher, se
prononce « béguels ») et cette
réputation est mondiale. Les
historiens disent que le bagel a été
inventé en 1683 (à quelle heure
exactement ?) et je préviens tout de
suite tout le monde que pour
survivre ici, il faut savoir couper les
bagels en deux parties égales, sinon
il n'y a qu'une moitié (en général
très maigre) qui entre dans le grille-
pain. Si j'ai survécu, c'est parce que
je les fais au four.

Fairmount Bagel
74 rue Fairmount O. (272-0667)
Fondée en 1919, c'est la doyenne
de toutes les boulangeries de
Montréal et elle est ouverte
24 h/24.

Bagel Shop
158 rue St-Viateur O. (270-2972)
Tout est fait devant les clients : la
pâte est découpée, enroulée puis
enfournée dans un four à bois. On
voit même le responsable des
bûches les apporter au boulanger.
Aux États-Unis, ce serait du fake. À
Montréal, c'est simplement comme
ça qu'on fait les bagels.

Au Pain Doré et **Première
Moisson** vendent une boulangerie
traditionnelle de bonne qualité.
Nombreuses succursales.

LES POISSONNERIES

Nous sommes à 1600 km de la mer
et à 40 ans seulement de la dictature
catholique qui interdisait aux
restaurants de servir de la viande le
vendredi. Voilà pourquoi les
Montréalais sont dégoûtés du

poisson, à mon avis. En plus, seuls les pêcheurs dégustent les poissons des lacs et des rivières, le commun des mortels n'ayant droit qu'à l'élevage, y compris pour les saumons.

La Sirène de la Mer
1865 rue Sauvé O. (332-2255)

Poissonnerie Antoine
5020 av. du Parc (278-8903)

Waldman
76 rue Roy E. (285-8747)

Les poissonniers ni les grandes surfaces n'étant tenus de respecter une quelconque réglementation d'étiquetage, il règne la plus grande confusion dans les appellations. Par exemple, ce qu'ils appellent de la sole est de la plie.

APPELLATION QUÉBÉCOISE	APPELLATION FRANÇAISE
Coquille St-Jacques	tout plat de poisson gratiné servi dans une coquille
Doré	sandre
Morue	cabillaud
Omble de fontaine	truite mouchetée
Pétoncle	coquille St-Jacques (le pied de celle-ci)
Silure	barbue de rivière
Sole	sole limande
Sole de Douvres	sole
Truite de mer	truite mouchetée
Truite saumonée	truite nourrie aux colorants
Turbot	turbot de Terre-Neuve, flétan noir…

Pour tout savoir sur cette question :
www.inspection.gc.ca/bil/fishlist/canadahome.html

LES BOUCHERIES

Anjou-Québec
1025 av. Laurier O. (272-4065)
La plus ancienne boucherie française de Montréal puisqu'elle a été créée en 1953 par un Parisien. Ils ont formé des dizaines de bouchers et connaissent tout sur la « coupe française ».

Claude et Henri
Marché Atwater (933-0386)
Ils sont installés à l'intérieur du marché. Le propriétaire est arrivé de Grenoble il y a plus de 20 ans.

La Queue de Cochon
1328 av. Laurier E. (527-2252)
Boudins blanc, boudin noir, lard, saucisse et saucissons (on dirait une chanson de Souchon).

LES TRAITEURS

Pas chers et faits sur place

Aux petits plats mijotés
1332 rue Ontario E. (570-4394)
Propose des spaghettis bolognaises mais aussi du bœuf bourguignon, du « macaroni chinois » des « cigares au chou », du « bœuf parmentier », etc. Il est préférable de téléphoner avant pour savoir s'il en reste encore.

Chers et faits sur place
La Pâtisserie Belge propose de délicieux plats à emporter ainsi que des sandwiches comme en France : *3485 av. du Parc (845-1245)*.

Anjou-Québec, un des traiteurs les plus réputés : *1025 av. Laurier O. (272-4065)*.

Pas chers et pas faits sur place
Les grandes surfaces proposent des repas à réchauffer.

LES FROMAGERIES

Fromagerie Hamel
220 rue Jean-Talon E. (272-1161) et 2117 av. du Mont-Royal E. (521-3333)

La Vieille Europe
3855 bd St-Laurent (842-5773)

LES PÂTISSERIES

Le Passe-Partout
3857 bd Décarie (487-9887)
Institution gourmande de Montréal.

La Pâtisserie de Gascogne
273 av. Laurier E. (490-0235)
dont la maison-mère est à Cartierville.

La Pâtisserie Duc de Lorraine
5002 ch. de la Côte-des-Neiges (731-4128)
Très ancienne pâtisserie de Montréal (elle a été fondée en 1954). Comme beaucoup d'autres « pâtisseries », elle vend aussi du

fromage, de la charcuterie, etc. Réputée.

Pâtisserie Alati-Caserta
277 rue Dante (277-5860)
Pâtisserie sicilienne.

Pain Doré
Plusieurs succursales.

LES MARCHÉS PUBLICS

Réputés pour leur fraîcheur, ils existent depuis plus de 50 ans. Un exemple pour nous tous.

Marché Atwater
138 rue Atwater
Fondé en 1933, il propose non seulement des fruits et légumes mais aussi des poissonneries, boucheries, fromagers, etc. Au printemps et en été, l'extérieur est fleuri comme une serre.

Marché Jean-Talon
7075 rue Casgrain
Surtout fruits et légumes à deux pas de la Petite Italie.

Marché Maisonneuve
4445 Ontario E.
Fleurs, plantes, fruits.

TABAC

- On ne trouve ni **Marlboro** rouges, ni **Gauloises brunes**, ni **Barclay** à Montréal.

- On vend des cigarettes chez tous les **dépanneurs**, dans les grandes et moyennes surfaces, et dans les tabagies.

- Le prix des cigarettes dépend de l'endroit où on les achète. En général, elles sont un peu plus chères au dépanneur. Ici comme ailleurs, l'État se fait à la fois un pognon maximum avec les taxes sur le tabac et demande à tout le monde d'arrêter de fumer. C'est ce qu'on appelle le beurre et l'argent du beurre.

- Un tabac québécois pour cigarettes : **Lépine**, cultivé à Joliette.

- Il est mal vu de fumer chez les gens qui ne fument pas car ça les dérange : on va sur la terrasse, même en hiver car ça ne les dérange pas que vous attrapiez la crève.

- On ne peut fumer ni dans le métro, ni dans les gares, ni dans les taxis, les magasins, les centres commerciaux, les bureaux, la poste, l'hôpital, l'aéroport, etc.

• Il est interdit de ne pas fumer le premier vendredi de chaque mois dès 19 h au **Club des fumeurs de pipes du Québec** *(4115 St-Denis)*.

PETITS APPAREILS ÉLECTRONIQUES ET ÉLECTRIQUES (DISCMAN, WALKMAN, APPAREILS PHOTOS, CAMÉRAS, TÉLÉVISION...)

Neufs

Beaucoup de boutiques sur Saint-Laurent et Sherbrooke.

Occase

Boutiques sur Ontario et Amherst. Vérifier que c'est réellement moins cher.

S'HABILLER

Comme les boutiques abondent, les lister n'a aucun intérêt, nous sommes d'accord. Par rapport à l'Europe, les vêtements sont un peu moins chers, sauf les costumes pour les hommes. On peut donc :

En louer
Wawman
4605 av. du Parc (845-8826)

En faire faire
Louis & André, Tailleurs
2401 av. du Mont-Royal E. (525-1091)

Margolese-Iacobacci
6686 rue St-Hubert (273-2831)

En acheter dans les friperies

Beaucoup se trouvent sur Mont-Royal. Il suffit de trouver ce qui vous « fait ».

Et c'est encore moins cher à **L'Armée du Salut** : *rue Notre-Dame O. (935-7425), rue Ontario E. (529-4025)*

S'abonner au téléphone

Leçon de survie

OBTENIR UNE LIGNE FIXE

Appeler **Bell Canada** : *310-2355*; donner votre numéro de passeport; Bell fait une estimation de ce qui pourrait être facturé selon les besoins exprimés; un dépôt est demandé :

- si la ligne est ouverte pour les interurbains, le dépôt est de 200 $ (si les interurbains sont excessifs, Bell exigera néanmoins un paiement immédiat);

- si la ligne ne permet que les appels locaux, le dépôt est de 100 $;

- les frais de branchement s'élèvent à 55 $ par ligne;

Bell garde le dépôt pendant six mois minimum. Si les factures sont payées avant l'échéance pendant les six mois, Bell remet le dépôt de garantie avec les intérêts selon le marché boursier.

COMPRENDRE LES TARIFS

Le service de base coûte 23,43 $ plus les taxes, soit 26,95 $. Il ne comprend que la ligne. On peut appeler gratuitement n'importe où à Montréal. Dès qu'une voix demande « Faites le un ou le zéro », c'est un interurbain. Ils coûtent 10 cents la minute autour de Montréal.

LES SERVICES OPTIONNELS	
Afficheur	8 $ par mois.
Mise en attente	5 $ par mois
Boîte vocale	7 $ par mois

EN RÉSUMÉ UNE NOUVELLE LIGNE COÛTE	
Dépôt	**200,00 $**
Frais de branchement	**55,00 $**
Service de base	**26,95 $**
Boîte vocale	**7,00 $**
Total	**288,95 $**

INTERURBAINS ET INTERNATIONAUX

Pour l'international

Composer le 011 suivi de l'indicatif du pays et de la région sans le 0.

Pour l'interurbain

Composer le 1 avant le préfixe régional et le numéro.
Les États-Unis ne sont pas considérés comme international mais comme interurbain.

Les plans

Il faut toujours avoir un « plan » ou une carte d'appel prépayée, sinon c'est hors de prix. Étant donné que chacun tente de s'aligner sur le meilleur, les offres changent en permanence. Il est donc préférable d'appeler :

Sprint	1-800-980-8595
Bell	310-2355
Win Tel	1-888-266-1313
Distributel	877-3100

Il existe également des compagnies qui proposent un tarif réduit sans abonnement ni inscription. Il suffit de former un code avant de composer son numéro. Par exemple : 10-10-710 (suivi du 011…) coûte 99 cents pour 20 minutes de conversation avec la plupart des pays d'Europe.

LES CARTES PRÉPAYÉES

Il y en a au moins 30 différentes sortes dans tous les dépanneurs, parfois spécialisées dans tel ou tel pays, avec ou sans frais d'appel. Beaucoup d'entre nous utilisent Globo mais bon, ça n'a rien d'obligatoire. La seule vraiment chère est la carte Bell. Pour le reste, il est préférable de choisir une carte avec frais de connexion (c'est-à-dire 25 cents) en cas de multiples utilisations.

PROBLÈMES DE PAIEMENT

Si vous ne payez pas, on vous coupe. Plus moyen ni de recevoir ni d'émettre des appels. À défaut de trouver un arrangement avec Bell, essayer **Rapid Tel** *(781 rue Jean-Talon E. 908-9911)* qui propose un rebranchement « sans dépôt, confidentiel, aucune référence de crédit, avec toutes les options de Bell ». 79,94 $ pour le rebranchement, 49,45 $ de frais mensuels à payer d'avance. Pour s'abonner, se présenter sur place avec 129,40 $. Un nouveau numéro vous est attribué quelques jours plus tard.

PORTABLES (CELLULAIRES)

En général, les téléphones portables européens ne fonctionnent pas, sauf s'ils sont tribandes.

On paie toujours les appels que l'on reçoit. Le tarif appliqué est le tarif zonal, dont le montant dépend du type de contrat, sauf si l'on est à l'extérieur de sa zone. On paie alors l'interurbain et c'est très cher. Les appels sont facturés à la minute. Toute minute entamée est due sauf chez Fido qui facture à la seconde. Les autres vont suivre à mon avis.

La plupart des Européens se ruinent avec les cartes prépayées.

Sur les autoroutes, il n'y a pratiquement pas de bornes d'appels d'urgence. Un cellulaire est donc utile (spécialement par moins 30°).

ACHETER UN TÉLÉPHONE ET OBTENIR UNE LIGNE

Concrètement, vous allez dans n'importe quelle boutique Bell (ou AT&T ou Fido…), et vous achetez un cellulaire. Pour la ligne, le vendeur appelle Bell (AT&T, ou Fido…) après vous avoir demandé des tas de renseignements qui ne visent qu'à savoir si vous paierez. Comme vous êtes Européen et n'avez pas d'histoire de crédit, on vous demande souvent un dépôt de sécurité.

Bell	1-888-457-7313
AT&T	1-800-790-2277
Fido	925-FIDO
Clearnet	253-2763

Faire semblant d'avoir un téléphone

Budget Express *(871-1492)* propose un service de location de boîtes vocales : vous n'avez pas de téléphone mais un répondeur que vous pouvez interroger à distance. C'est pratique et il n'en coûte que 8 $ par mois (abonnement minimum de 3 mois).

INTERNET

Il n'existe plus de provider gratuit depuis mon installation à Montréal. Néanmoins, la connexion téléphonique au réseau en tant que tel n'est pas facturée puisque comprise dans le forfait global d'appels locaux. Tout dépend de votre utilisation : haute vitesse ou non, uniquement pour des courriels ou à titre professionnel, etc. Les providers les plus connus :

Sympatico	310-4683
Videotron	281-1711
Total.net	481-2585

En attendant, il existe des boutiques type « cybercafés » :

Café Planète
163 rue du Mont-Royal E.
(844-2233)
Gratuit (si on paie une consommation).

Cyberground Café
3672 bd St-Laurent (842-1726)
Pour l'amabilité, on repassera.

Copie Smart
3506 av. du Parc (845-4515)
Permet également de recevoir des fax.

Les Minots
3812 bd St-Laurent (844-8543)
Bar Ricard appartenant à des Français. Très sympa et idéal pour faire des rencontres européennes.

Tribune Café
1567 rue St-Denis (840-0915)

Toutes les bibliothèques de la ville de Montréal.
Gratuit.

TÉLÉGRAMME

Comme on le sait, le télégramme a pratiquement disparu d'Europe et d'ailleurs. Mais on peut retrouver le charme du je-t'aime-et-te-désire-stop en le dictant à l'opératrice chez **Télégramme Plus** *(1-800-350-0590)*. Le message est ensuite transmis par téléphone à votre correspondant (vérifier le numéro) puis adressé par courrier. Ce document a valeur légale, ce service étant tout à fait sérieux, quoique n'appartenant pas à la Poste. Coût pour l'Europe : à peu près 50 $. **Paiement par cartes de crédit seulement**.

UN DERNIER MOT AVANT DE TÉLÉPHONER

**Au Québec, on dit « allo »
pour dire bonjour;**

**pour dire allo, on dit : allo et
pour dire au revoir, on dit bonjour;**

**« fait que » pour dire
« allo, bonjour »
on dit
« allo, allo ».**

Ouvrir un compte en banque

Fraîchement débarqué...

Il est difficile de trouver un logement sans compte en banque à Montréal et il est impossible d'y trouver un compte en banque sans logement : les banquiers réclament souvent un bail et toujours une preuve d'adresse, par exemple une facture. C'est un peu comme en Europe. À part ça, le reste est très différent. Car l'un des charmes bancaire de l'Amérique du Nord consiste à vider peu à peu nos comptes à coups de 40 cents pour encaisser un chèque, 60 cents pour déposer de l'argent, un peu moins pour consulter l'état de ce qui reste par Internet, un peu plus pour retirer d'un guichet automatique d'une autre succursale, le tout avec le sourire bienveillant des gens qui vous rendent vraiment service.

Il existe un site gouvernemental qui vous aide à calculer ces frais bancaires : **http://strategis.ic.gc.ca/** (cliquer sur « plan du site » puis sur « banque »).

Leçon de survie

CHANGER DE L'ARGENT

Éviter les banques et consulter **www.oanda.com** avant de faire des bêtises, car ce site comprend tout, y compris un historique des taux. Un des meilleurs taux : **Calforex** sur Peel et Sainte-Catherine, *1250 rue Peel (392-9100)*.

OUVRIR UN COMPTE EN BANQUE

Se présenter à la banque de votre choix la plus proche de votre domicile avec deux preuves de domiciliation.

Obtenir une carte Interac

La demander. Elle est faite sur place et vous l'obtenez de suite.

Obtenir des chèques

Les demander. On vous les fournit dans la semaine. C'est payant bien sûr.

PAYER

Le chèque

N'étant ni garanti ni couvert par la banque, le chèque n'est pas accepté partout. On ne l'emploie que pour payer son loyer, le téléphone et l'électricité.

Si vous déposez un chèque reçu à votre banque, votre compte ne sera crédité de son montant qu'une dizaine de jours plus tard (la banque vérifie sa validité, paie les sandwiches avec les intérêts et place le reste dans des barrages hydro-électriques). Le chèque sans provision n'est pas poursuivi pénalement : votre crédit s'en trouve évidemment affecté mais rien de plus.

Interac / carte de débit

La plupart du temps, on n'impose pas de montant minimum, parfois 5 $. La banque vous débite des frais bien entendu. Quand vous payez par carte, le terminal vous demande « Quel compte ? ». La réponse est généralement « compte chèque » ce qui signifie compte courant.

Dans les grandes surfaces, la caissière peut vous donner de l'argent (qu'elle ajoute à votre note) si vous payez par Interac.

La carte de crédit

On l'emploie sans restriction et sans minimum. Un bon conseil : gardez votre carte de crédit européenne (c'est-à-dire un compte dans votre pays) le plus longtemps possible même si ça vous coûte cher. Sans carte, il est presque impossible de louer une voiture, et très difficile de réserver un hôtel par exemple.

Obtenir une carte de crédit au Québec tant que vous n'avez pas d'historique de crédit, ce qui prend habituellement un an, est pratiquement impossible. Un émigré européen, engagé dans une grande banque de Montréal, n'a pas réussi : sans vous décourager, je ne vois pas comment vous y arriveriez si vous n'avez pas encore de travail. Certaines banques acceptent (rarement) qu'en déposant 1 000 $ sur un compte, vous souscriviez à une carte avec limite de dépense de 500 $. Toutefois **Objectif Québec** a passé un accord avec une succursale Desjardins, afin de faciliter la procédure — pour autant que vous soyez membre de l'association.

Caisse populaire Desjardins du Mont-Royal
435, av. du Mont-Royal E.
Montréal, QC
H2J 1W2
(514) 288-5249

Objectif Québec
www.objectifquebec.org

Le virement

Le virement est un mode de paiement pratiquement inexistant. La plupart des employés de banque ne comprendront même pas de quoi vous parlez même si vous leur donnez 1,50 $ pour les frais.

ENCAISSER UN CHÈQUE : IL Y A TROIS SOLUTIONS

- Le déposer sur votre compte et attendre une dizaine de jours.

- L'encaisser à la banque du signataire.

- L'encaisser en liquide chez **Insta-Chèque** (3 % de commission plus frais administratifs) surtout s'il s'agit d'un chèque de société. Vous devez fournir quelques informations préalables (*276-9922* pour connaître le bureau Insta-Chèque le plus proche et les heures d'ouvertures – celui de Atwater est ouvert 24 h/24, ça peut aider).

RECEVOIR DE L'ARGENT D'EUROPE

Par banque
- Évitez les chèques
- Demandez à votre banque ses coordonnées internationales
- Soyez prévenus du jour de l'envoi
- Attendez 5 jours
- Après ce délai, réclamez

Par Western Union
Cher mais ultra rapide : l'argent est disponible dans l'heure de son envoi, d'où qu'il vienne. Vous le retirez en liquide à n'importe quel bureau Western Union *(1-800-235-0000)*.

Par mandat postal
Plus rapide que la banque et moins cher que W.U. La poste vous avertit quand l'argent est arrivé. Vous pouvez aller le chercher dans une pharmacie où sont installés presque tous les bureaux de poste à Montréal et en banlieue.

Vous êtes timbrés

En envoyant votre photo préférée à Postes Canada, ils en font des timbres qui peuvent affranchir vos courriers. Renseignez-vous dans les bureaux de postes ou au *1-888-350-6763*.

DÉPOSER DE L'ARGENT SUR VOTRE COMPTE

On peut bien entendu déposer de l'argent « au comptoir » de la banque. Mais au Québec, il existe un système permettant d'approvisionner son compte en passant par le guichet automatique, qu'il s'agisse d'un chèque ou d'espèces. Il suffit de placer l'argent (ou le chèque) dans une enveloppe située au guichet automatique et de déposer ensuite l'enveloppe dans l'appareil. Aussi bizarre que cela paraisse, il n'est pas sûr que vous puissiez disposer immédiatement de l'argent que vous venez de déposer car certaines banques le « gèlent » (il y a des génies qui ne déposent rien dans l'enveloppe, il faut donc que l'employé-nain qui habite à l'intérieur de la machine vérifie le contenu de celle-ci).

Retirer de l'argent de votre compte européen est possible si votre carte porte le logo Cirrus, ce qui est le cas d'une majorité de cartes européennes. Vous faites votre code dans un distributeur et c'est tout.

Les banques européennes ne peuvent offrir de services « réguliers » aux particuliers. Si vous disposez d'un compte au Crédit Lyonnais, par exemple, vous ne pouvez l'utiliser à Montréal, étant donné qu'ils ont placé toutes vos économies à Hollywood.

 Big Brother s'appelle en québécois Equifax. Cet organisme a pour objet d'identifier la solvabilité (« le crédit ») des citoyens. Chaque fois que vous voulez acheter à crédit, Equifax vous identifie grâce au numéro d'assurance sociale (NAS) que vous donnez au vendeur et vous attribue une note comme à l'école. Concrètement, si vous êtes endetté, Equifax vous permet d'accéder immédiatement à la misère, car plus personne ne vous prêtera un balle. C'est magique. En plus, ce n'est pas leur faute, c'est l'ordinateur.

Se loger à Montréal

Leçon de survie

Le taux d'inoccupation à Montréal est de **0,6 %** (autrement dit, sur cent appartements locatifs, pas un seul n'est libre), l'un des plus bas niveaux historiques. Il est donc très difficile de trouver rapidement ce que l'on cherche. Beaucoup d'Européens choisissent de s'installer dans un meublé en attendant de trouver mieux. Ils dépriment ensuite après trois jours (à cause des meubles). Mieux vaut faire son nid au plus vite.

AVANT DE LOUER QUOI QUE CE SOIT, IL FAUT SAVOIR QUE

La **superficie** est calculée en pieds carrés. Pour savoir combien ça fait en mètres carrés, diviser par 100 : 6000 pieds carrés = 60 m^2.

Le **nombre de pièces** figure devant le chiffre ½. Un 3 ½ compte ainsi 3 pièces. Le ½ est la salle de bain.

Le **chauffage** est compris dans beaucoup d'immeubles de type building.

Le **loyer** est net. Il ne faut pas y ajouter de taxes.

Le loyer mensuel moyen d'un appartement de deux chambres à Montréal était en 2002 de 550 $ (contre 1050 $ à Toronto).

Les **baux** sont conclus pour un an, et se terminent en général à la fin juin.

Il est toujours possible d'échanger votre appart à Paris contre un autre à Montréal. Renseignement auprès des organisations **France-Québec** (***www.France-quebec.asso.fr***) **Homelink Intl**, (***www.homelink.org***) ou **Intervac** (***www.intervac.com***).

Les loyers montent avec l'ascenseur : dans un building, plus on est haut, plus c'est cher.
La plupart des propriétaires repeignent l'appartement avant chaque nouveau locataire. Ce serait encore mieux s'ils savaient peindre (on dit peinturer en québécois, on dit peinturlurer quand on voit le résultat).

Il n'y a pas d'état des lieux.

Il n'y a pas d'assurance obligatoire.

Il y a un contrat de bail fortement recommandé (celui de la Régie du logement) en vente auprès des dépanneurs.

Colocs : certains locataires cherchent un « coloc ». Hard comme entrée au Québec mais pourquoi pas. Se renseigner sur les habitudes, surtout si vous êtes fumeur, bordélique, carnivore et obsédé sexuel (beaucoup de Québécois sont non fumeurs, organisés, végés et obsédés sexuels).

TROUVER UN LOGEMENT

Les journaux
La Presse, **Le Journal de Montréal** et **Le Devoir** publient des petites annonces.

Quatre hebdomadaires publient de nombreuses petites annonces relatives aux locations : **Voir** et **Ici** (francophones), ainsi que leurs correspondants anglophones, **Hour** et **The Mirror**. Ils paraissent tous le jeudi. **Voir** a mis en ligne un site payant permettant d'être informé plus rapidement. On trouve ces journaux un peu partout, notamment dans les bars, les galeries commerciales, certains commerces, etc.

Voir et **The Mirror**
355 rue Ste-Catherine O.
(848-0805)

Ici et **Hour**
400 rue McGill, bureau 100
(393-1010)

Internet
www.acam.qc.ca
www.apartnet.com
www.matin.qc.ca
www.lespac.com
www.voir.ca/petitesannonces

Associations d'aide au logement
Centre multi-ethnique Notre-Dame-de-Grâce
6493 av. Somerfeld, bureau 225
(486-7465)

La Maisonnée
6865 av. Christophe-Colomb
(271-3533)

Objectif Québec (logements recommandés par les membres)
www.objectifquebec.org

ROMEL (regroupement des organismes du Montréal Ethnique pour le logement)
655 ch. de la Côte-des-Neiges, bureau 400 (341-1057)

Hirondelle (organisme d'aide aux nouveaux arrivants)
4652 rue Jeanne-Mance, 2ᵉ étage (281-5696)

Centre des femmes de Montréal
3585 rue St-Urbain (842-6652)

Montréal Accueil c/o Consulat Général de France
1 Place Ville-Marie, bureau 2601 (878-4385)

CSAI (centre social d'aide aux immigrants)
4285 bd de Maisonneuve O. (932-2953)

Regroupement des comités logements et associations de locataires du Québec : il y a en moyenne un comité par quartier qui peut vous aider pour la plupart des problèmes locatifs *(numéro général : 521-7114)*

Une Française propose la location de divers appartements meublés, en semaine ou au mois, individuellement ou en colocation :
Hébergement Montréal
1658 rue St-André, (524-8344)
www.hebergement-montreal.qc.ca.

YMCA
1440 rue Stanley (849-8394)
www.ymcamontreal.qc.ca

Les coopératives de logement proposent des appartements à prix réduits à certaines conditions : le locataire doit, en plus de payer son loyer, prendre soin de l'immeuble et participer aux réunions de colocataires (qui a encore laissé entrer un orignal dans la salle de bain ?). Il faut être parrainé. Pour obtenir la liste des coopératives :
FECHIM
1000 rue Amherst, bureau 201 (843-6929)

LES DROITS DU LOCATAIRE À MONTRÉAL

- Il est interdit de demander au locataire une **caution locative**, sauf s'il s'agit d'un bail commercial. Le propriétaire ne peut pas exiger de versement dépassant un mois de loyer.

- Il ne peut pas non plus exiger des **sommes additionnelles** à titre de dépôt quelconque (remise des clés, etc.).

- Il ne peut exiger de **chèques postdatés** (cas fréquent à Montréal).

- La présence de ce type de clauses dans les baux est sans effet.

- Le propriétaire peut demander la résiliation du bail en cas de retards de paiements fréquents mais il doit prouver que ces retards lui portent préjudice.

- En cas de **non-paiement**, la procédure est la suivante : le propriétaire doit adresser une requête à la Régie du logement en vue de demander l'éviction et/ou le paiement du loyer. Le locataire dispose alors de dix jours pour contester par écrit. Si le locataire paie avant que le jugement devienne exécutoire (à peu près un mois à compter de la décision), il peut éviter l'éviction.

- **La Régie du logement** est un organisme gouverne–mental siégeant comme un tribunal : *5199 rue Sherbrooke E. (873-2245)* ***www.rdl.gouv.qc.cq***

Acheter, louer, conduire une voiture

Leçon de survie

ACHETER UNE VOITURE

Neuve

La presse fourmille de propositions de « location » (leasing). L'idée est de payer un montant mensuel ainsi qu'un montant de base. Le nombre de kilomètres est limité par an. Après trois ans, généralement, et selon le contrat, on choisit de rendre la voiture ou de la racheter pour le prix résiduel. L'entretien est à charge du locataire mais les assurances comprises dans le prix de la location couvrent tous les risques.

D'occasion (« seconde main » ou « usagée »)

Il peut s'agir d'une voiture arrivée en fin de location ou de la voiture de Mme Tremblay. Consulter les petites annonces. Mêmes dilemmes et mêmes arnaques qu'en Europe.

 Une spécialité locale

L'indigène sortant soudain d'un fourré, fortement intéressé par la voiture que vous êtes en train d'acheter et qui propose le double. Fuyez, c'est son beau-frère.

Une adresse utile

Les ventes publiques de voitures saisies : **l'Encan national** *5010 rue Paré (731-9390)* En dessous de 1 500 $, il y a peu de chance que ce soit une affaire.

POUR ÉVITER LES SURPRISES

Il n'existe aucun contrôle technique obligatoire au Canada.

- Les voitures américaines ont très mauvaise réputation auprès des garagistes.

- Le Club Automobile (CAA) peut vérifier 150 points et faire un essai routier.

- Vous pouvez vous informer sur l'état « juridique » de la voiture d'occasion que vous voulez acheter (appartient-elle réellement à son propriétaire ?) au *864-4949* et sur ***www.rdpm.gouv.qc.ca***.

•Vous pouvez vous renseigner sur la validité du permis de conduire du conducteur auquel vous voulez prêter votre véhicule *(1-900-565-1212)*.

•Vos oreilles européennes ne détecteront pas les bruits américains dans des voitures spécialement insonorisées et automatiques.

•Le « prix de l'Argus » se trouve dans le magazine *Auto Occasion*.

L'IMMATRICULER

•Aller à la **SAAQ** (se rendre à la SAQ serait une mauvaise idée pour demander une plaque), avec : une **attestation de l'achat** si vous avez acheté votre voiture à un commerçant;

•la plaque ou l'ancien certificat d'**immatriculation** si c'est une voiture d'occasion (si le vendeur est un particulier, il doit venir avec vous à la SAAQ);

•un moyen de paiement;

•Il vous en coûtera environ 300 $;

•L'immatriculation se paie annuellement à la réception de la facture mais le mois de facturation dépend de votre **nom de famille**.

Société de l'Assurance automobile du Québec
855 bd Henri Bourassa O. (873-7620)

L'ASSURER

L'assurance dommages corporels des tiers et du conducteur est financée par la **SAAQ** grâce aux diverses taxes payées par les automobilistes, notamment sur le permis de conduire. Il s'agit d'un système d'assurance « sans faute » de sorte que la victime comme le responsable sont indemnisés selon des tarifs fixes. Ce régime est spécifique au Québec.

En revanche, pour l'assurance dommages matériels, il faut contracter avec une compagnie. On recommande aux Européens d'apporter d'Europe toutes les attestations utiles pour diminuer le montant des primes.

LOUER UNE VOITURE

Il est impossible de louer une voiture sans carte de crédit et si on à moins de 21 ans.

 Via Route
5180 rue Papineau
(521-5221)
Vive Via Route
besoin d'une voiture pour quelques heures seulement ? Via Route, une entreprise québécoise, propose des locations de 4 heures à des tarifs spéciaux. On peut également en louer pour la soirée.

Accès
(1-888-748-2236)
Location de bagnoles d'occase.

Alamo
(875-9988)
« Sourires droit devant » (le créatif qui a trouvé ça est un génie).

Avis
(1-800-321-3652)
« Tarifs avantageux et service de qualité ».

Discount
(849-2277)
« Le meilleur choix les meilleurs prix ».

Entreprise
(1-800-62-2886)
« Tarifs abordables, voitures de qualité. Laissez-vous transporter ».

Hertz
(1-800-263-0678)
« Super voitures. Super tarifs. Super service », c'est incroyable l'originalité des loueurs.

Jean Legaré
(522-6466)
Jean Legaré loue également des fourgonnettes avec emplacements pour handicapés.

National
(1-800-227-7368)
« C'est vert on y va », exceptionnel.

Pelletier
(281-5000)
« Le plus important réseau au Québec bâti par des gens bien de chez nous », il veut dire de chez eux.

Thrifty
(1-800-847-4389)
« Tarifs avantageux et service gratuit de cueillette », au Québec, beaucoup d'étudiants cueillent des fraises et des framboises pour se faire de l'argent de poche, mais cueillette ça veut dire aussi pick-up.

LA PARTAGER

Moyennant un dépôt annuel et une tarification kilométrique, il est possible de partager une voiture (le « carsharing »), un système qui a peut-être beaucoup d'avenir :
Communauto (842-4545)
www.communauto.com

LA CONDUIRE

Pour sauver l'honneur auprès des indigènes, sur les voitures automatiques :

D	avancer
N	point mort, neutre
R	reculer
P	position de parking

• **Cruise control** signifie vitesse de croisière. Dès que vous êtes arrivé à la vitesse souhaitée (par exemple 100 km/h) en pesant sur le gaz, pesez ensuite sur le piton : le char avance tout seul que ça a pas d'bon sens.

• La conduite est pépère en général et rock'n roll en hiver. Les interdictions sont beaucoup plus respectées qu'en Europe. Par exemple, les Québécois s'arrêtent vraiment au **stop**. De leur côté, les anglophones stoppent vraiment à l'**arrêt** même s'ils ne voient personne, mais vraiment personne, dans tout le Nouveau-Brunswick.

• **Les Québécoises** qui roulent en 4X4 ne cèdent pas le passage, ne permettent à personne de se rabattre et continuent droit devant. Historiquement, elles reprochent en effet à nos grands-parents d'avoir exploité leurs grands-mères entre 1865 et 1971.

CODE DE LA ROUTE ET STATIONNEMENT

Voir

Les panneaux qui indiquent les traversées d'orignaux. Les autres indications routières ne sont là que pour ceux qui connaissent déjà la route. Il est tout simplement impossible d'arriver à destination en se fiant aux panneaux, il est donc indispensable de se munir d'une carte routière.

Pouvoir

Permis de conduire : le permis européen est valable pendant les trois premiers mois d'un séjour touristique. Ensuite, on l'échange contre un permis québécois : se rendre à la SAAQ avec son passeport.

Savoir

- Sur autoroute, la vitesse maximale autorisée est de **100 km/h.**

- Sur les routes principales : **90 km/h.**

- En ville : **50 km/h.**

- Quand les deux voies vont dans le même sens, elles sont séparées par une ligne **blanche**. Quand elles sont en sens opposé, par une ligne **jaune**.

- Mais de très nombreuses rues, qui ne sont pas à sens unique, ne peuvent pas être empruntées par la gauche : il faut regarder les flèches qui indiquent les directions autorisées à chaque croisement.

- Les **feux de circulation** se trouvent après l'intersection, ce qui est très déroutant pour nous. Arrêtez-vous avaaaaaaaaaaaaant !

- Quand le **feu clignote au vert**, cela signifie que ce n'est

vert que pour vous (et non dans l'autre sens).

- Le **ARRÊT/STOP** : le premier arrêté est le premier à pouvoir redémarrer. C'est simple, non ? Et si on arrive tous en même temps ? Tout le monde s'arrête en même temps. Le premier qui peut partir est celui qui vient de droite. Étonnant car...

- La priorité à droite n'existe pas.

- Quand un bus scolaire est à l'arrêt (feux clignotants), il faut **absolument** s'arrêter.

- **Parcomètres** : on ne rigole pas avec « les parcomètres ». Une minute de retard est une minute de trop. Ce sont des privés qui s'occupent de distribuer les « tickets » qui valent un minimum de 42 $. Et en plus, il faut vraiment payer les amendes, sans espérer qu'on vous oublie. Ils se souviennent de ça aussi.

- Comprendre pourquoi on a reçu un ticket est une opération plus douloureuse que de le payer, surtout en ce qui concerne le stationnement.

LE PERMIS QUÉBÉCOIS

- Est un permis provincial et non national : il faut donc en changer quand on s'installe, par exemple, à Toronto ou dans n'importe quelle autre province.

- Sert de carte d'identité.

- Est un permis à points. Ils les appellent joliment les « points de démérite » ou « points d'inaptitude ».

- Après un retrait de 15 points, les sanctions sont la **révocation** ou la suspension du permis. Le nombre de points retirés a également pour conséquence d'augmenter les primes d'assurance annuelle (de 86 $ à 434 $). Les infractions les plus coûteuses en points sont :

- Dépassements successifs en zigzag : **4 points.**

- Omission de se conformer aux feux intermittents ou au signal d'arrêt d'un autobus scolaire : **9 points.**

- Excès de 121 km/h ou par rapport à la limite prescrite : **15 points** ou plus.

- Pour toute info : *873-7620*

RECOMMANDATIONS DE TRANSPORTS QUÉBEC EN CAS DE PROBLÈMES LIÉS À L'HIVER

Serrure des portières gelées

- Faire chauffer la clé avec un briquet.

Enlisement dans la neige

- Dégager les roues motrices avec une pelle, tourner les roues de droite à gauche pour évacuer la neige et accélérer lentement. Si cette technique ne fonctionne pas, essayer le va-et-vient en gardant les roues bien droites.

En cas de tempête de neige

- Se garer dans un endroit sûr. Allumer des dispositifs lumineux autour de la voiture à une distance de 30 mètres.

- Allumer les feux clignotants.

- Faire fonctionner le moteur et le chauffage pendant dix minutes chaque heure en laissant à ce moment une fenêtre légèrement ouverte.

- Réchauffer l'intérieur avec des bougies.

- Éviter à tout prix de s'endormir, ce qui pourrait être fatal.

TOUT SAVOIR (OU PRESQUE) SUR LE PARKING

- On ne dit pas parking mais stationnement.

- Tout ce qui n'est pas interdit est autorisé (c'est normal).

- Tout ce qui n'est pas autorisé est sanctionné (c'est nord-américain).

- Toute sanction consiste en une amende (c'est chiant).

- Si l'on ne paie pas ses tickets, on ne risque plus la prison mais… le retrait des plaques d'immatriculation !

- La plupart des places de stationnement sont réservées certaines heures aux résidents. Pour se procurer une carte de résident : **Stationnement réservé aux résidents** *700 rue St-Antoine E. (872-8556).*

- Le stationnement devant une borne à incendie est interdit.

- Suivez la flèche de l'interdiction de stationner. Vers la rue : ce qui est interdit l'est jusqu'au prochain panneau; vers le trottoir : fin de l'interdiction. Pas de flèche : toute la rue. Relisez ça trois fois en retenant votre respiration.

- Si votre voiture n'est plus où vous l'aviez laissée, trois possibilités : Premièrement vous avez abusé avec la Molson, deuxièmement on vous l'a volée, troisièmement elle est en fourrière. Dans ces deux derniers cas, téléphonez au 911. La police vous demandera le nom de la rue et vous indiquera la fourrière. Soyez germaniques avec les gens de la fourrière, ce sont de grands fantaisistes…

LE VIRAGE À DROITE AU FEU ROUGE (VDFR)

- Est interdit à Montréal.

- Est autorisé partout au Québec sauf là où il est interdit.

- Permet d'économiser 11,4 millions de litres de carburant par an.

- Et 4 millions d'heures aux automobilistes.

- Aurait causé la mort de 84 personnes par an aux États-Unis spécialement auprès des piétons de plus de 65 ans et des cyclistes.

TOUT SAVOIR SUR LES AUTOROUTES

- Les autoroutes sont gratuites.

- Les autoroute paires vont d'est en ouest (A40, A20…).

- Les autoroutes impaires vont du nord au sud (A15…).

- Il n'y a pratiquement pas de stations d'essence sur les autoroutes. Il faut en sortir.

- Les numéros de sortie indiquent le kilométrage par rapport à Montréal. Ils ne se suivent donc pas (car il n'y a pas de sortie tous les kilomètres).

- Les flèches indiquent le côté de la sortie car l'on doit parfois sortir par la gauche !

- Le plus souvent, on n'indique qu'une fois la sortie. Beaucoup d'Européens sortent ainsi trop tard et doivent revenir sur leurs pas (le monde dans le sens inverse, c'est eux).

LUI FAIRE PASSER L'HIVER

- En automne, lui offrir un traitement à l'huile afin de protéger les bas de caisse.

- L'équiper de pneus neige (avant qu'il neige, après c'est trop tard).

- Ne pas faire confiance aux pneus neige.

- L'équiper d'un démarreur à distance (elle se réchauffe toute seule).

- Mettre de l'antigel dans le radiateur.

- Vérifier quotidiennement le liquide de lavage de vitres (contre le sel).

- La retrouver sous le tas de neige (parfois on ne la voit plus du tout). La dégeler (sèche-cheveux) ou l'empêcher de geler (graissage des serrures et du caoutchouc des portières).

- La déneiger, la déglacer avec un racloir spécial. En cas d'urgence, utiliser une boîte de lait (vide). N'oubliez pas le toit (pour celui qui est derrière vous).

- La faire sortir de l'ornière (cailloux, passant, planche antidérapante).

- Ne pas la laver tant qu'il gèle (la boue protège du sel).

- En cas de tempête de neige, prendre le métro.

L'ENTRETENIR, LA RÉPARER

Le dire

La plupart des garagistes indigènes emploient l'anglo-québécois pour désigner les pièces d'une voiture. Il est donc essentiel de prendre ce Guide avant d'aller voir un garagiste (merci Hubert) :

Alternatorbelt	courroie de l'alternateur
Balberings	roulement à billes
Bemper	pare-choc
Bwék	freins
Câble à bouster	câble de batterie
Fiouse	fusible
Fnèt	vitre
Flâcher	clignotant
Mefflew	pot d'échappement
Tailleur	pneu
Towing	remorquage
Wouaïpers	essuie-glaces

Trousse utile en hiver

Transports Québec recommande de disposer dans sa voiture d'une trousse comprenant :
Un balai à neige
Un grattoir
Une pelle
Des plaques antidérapantes
De l'antigel de canalisation d'essence
Des câbles d'appoint
Un sac de sable ou de sel
Une lampe de poche et des piles de remplacement
Une couverture chaude
Des allumettes et des bougies
Des bottes, une écharpe et un chapeau
Des fusées de détresse
Un fanion
Un détecteur d'oxyde de carbone

Quand la Ville déneige votre rue (vers six heures du matin), elle enlève les voitures stationnées après avoir réveillé le quartier au son d'une sirène épouvantable. En se garant le soir, il faut donc vérifier qu'il n'y a pas de panneaux annonçant un prochain déneigement, sous peine de voir sa voiture déplacée.

Le faire

Moyennant une cotisation annuelle, le **CAA Québec** offre le remorquage et une assistance routière (nombre d'interventions limitées) comme il existe en Europe.

Mais comme on est en Amérique, le CAA propose aussi une carte de crédit Mastercard CAA, une assurance maison, et des « dollars CAA Québec ». L'association recommande également certains garages pour le sérieux de leur travail.

CAA *(1-800-222-4357; 861-1313 et sur les cellulaires : *CAA)*
www.caa-quebec.qc.ca

Les taxes et les impôts

Fraîchement débarqué...

À Dominique

J'ai un ami européen qui n'a jamais compris la différence entre les taxes et le service. Tout a commencé dans le taxi quand il est arrivé de Dorval et fini, je suppose, quand il a payé la taxe de départ. Quand on lui parle du service, il demande si les taxes sont comprises, et quand il paie les taxes, il y ajoute le service. Jamais je n'ai pu lui faire saisir que les taxes s'ajoutent toujours, mais le service parfois. « Mais quand on achète des souliers, me dit-il, faut-il payer le service ? » Non, Dominique, disais-je, il faut simplement ajouter les taxes. « Mais pourquoi faut-il le payer dans les bars ? » À cause du salaire des serveuses. « Mais comment puis-je connaître le salaire des serveuses ? et pourquoi sont-elles moins bien payées que les vendeuses de chaussures ? » Son embrouillement me mêlait de jour en jour, mais j'avais décidé de tenir bon en récapitulant ce que je savais.

- Dominique, dis-je ce matin là car j'étais en pleine forme, il faut ajouter des taxes à tous les produits que l'on achète, c'est la première règle.
- Quelles taxes ? me demande-t-il aussitôt pour me gêner.
- La TQS et de la TVA. Cela fait 15 %.
- Est-ce une règle générale ? me demande-t-il avec le ton qu'a dû employer la femme de Newton lorsqu'il lui conta sa découverte.

- C'est une règle absolue et la raison pour laquelle aucun commerçant ne connaît exactement le prix de ce qu'il vend. D'ailleurs tu as vu qu'un objet du Dollarama coûte plus d'un dollar. C'est à cause de la taxe, mais non du service.

J'avais décidé de bien séparer les questions et de n'approfondir celle du service que lorsqu'il serait bien ferme sur les taxes mais voici ce qui me dégoûta. Le soir, il revint avec un Bordeaux sur lequel il n'avait payé aucune taxe et il me dit d'un air fâché que je ferais mieux d'apprendre les règles avant d'avoir la prétention de les enseigner.

- Comment ça, tu n'as payé aucune taxe ? lui dis-je.
- Ni la TQS, ni la TVA, répondit-il avec un air furieux.
- Et où as-tu acheté ce vin ?
- Dans un endroit où il est cher. Le Sac, saque, enfin quelque chose comme ça.
- Et ils n'ont pas ajouté de taxe ?
- Ils n'ont rien ajouté du tout, me dit-il en le débouchant. J'ai juste ajouté 15 % pour le service mais ils n'ont pas demandé de taxes.

J'aurais aimé lui apprendre qu'on ne paie pas de service quand on achète une bouteille de vin mais il m'aurait demandé pourquoi, alors, il faut le payer quand on en achète un verre. J'aurais bien dû boire toute la bouteille pour voir plus clair sur cette question et le vin est trop cher au Québec. À cause des taxes.

Leçon de survie

À part l'essence, les vins à la SAQ et les titres de transports, tous les prix sont affichés hors taxes (pour faire croire qu'ils sont moins chers. C'est ce qu'on appelle la politique fiscale de l'autruche). Quelles taxes ? La **Taxe sur les Produits et Services** (TPS, ne pas confondre avec la chaîne de télévision TQS) fédérale est de 7 %; et la **Taxe de Vente du Québec** (TVQ) de 7,5 %. Le total des taxes est ainsi de 15 % (car la TVQ s'applique au prix hors taxes + TPS). Il est à peu près impossible de comprendre pourquoi la taxe est imposée sur tel produit plutôt que tel autre. Le principe est : tout est taxé. L'exception s'appelle viandes, fromages, fruits et légumes. Mais ce n'est pas si simple : il reste à savoir si l'aliment est prêt à être consommé ou non. Pour d'autres biens, la taxe est réduite (on ne taxe les livres qu'à 7 %), bref, tout ça est aussi joyeux que la TVA.

La question de savoir s'il est moins cher de vivre à Montréal qu'en Europe n'est pas si aisée à résoudre. La vie est moins chère qu'en Europe mais les revenus moins élevés également. Les loyers sont certainement beaucoup moins chers ici mais les salaires sont inférieurs (et les vacances plus courtes) à ce que l'on connaissait en Europe.

Les **salaires minimums** (deux cent trente mille personnes concernées) sont de :

Taux général
7,30 $ de l'heure

Salariés au pourboire
6,55 $ de l'heure

Les **impôts directs** se
partagent en taxes fédérales et
provinciales. Pour tout savoir :

Revenu Québec
(1-866-440-2500)
www.revenu.gouv.qc.ca

Pour savoir combien vous aller
payer : *www.eycan.com* (calculateur
d'impôts en ligne)

Les Québécoises

Fraîchement débarqué...

À Louise

Mes amis exagèrent, projettent ou imaginent; en tous cas ils mentent car ce qu'ils disent est impossible. Ils se vengent, règlent leur compte, affabulent. Ou bien ils généralisent : enfin, je ne sais ce qu'ils font mais il est impossible qu'elles fassent ce qu'ils disent.

Ils disent que les Québécoises partagent l'addition au restaurant, qu'elles entrent les premières dans les lieux publics, prennent le volant à leur mari et leur donnent des ordres qu'ils respectent. Mais qu'elles ne supportent pas d'obéir. Croient-ils vraiment que je les croie ? Ils disent qu'elles n'ont ni douceur, ni sensibilité, ne sont pas sentimentales, n'aiment pas l'amour mais le sexe, et par dessus tout l'argent. Mes amis sont des menteurs. Comment peuvent-ils espérer me persuader que les femmes, ces merveilles de délicatesse et d'altruisme, ne soient pas sentimentales ? Ils racontent qu'elles choisissent les hommes plutôt que le contraire et leur proposent ouvertement ce que nous n'osons leur suggérer. Me prennent-ils pour un idiot ? Ils s'amusent, ils continuent, ils en remettent. Ils se passent le mot pour me confondre, s'arrangent pour me tenir tous le même discours. Ils disent qu'elles n'aiment pas les préliminaires et prennent l'initiative même au lit. Enfin on l'a compris, il y a, au Québec, une conspiration nationale pour me manipuler : aucun espoir que cela fonctionne. Car il me reste mon bon sens.

Comment pourrais-je croire, par exemple, que les Québécoises partent en République Dominicaine pour acheter le plaisir ? Aucune femme ne fait ce genre de choses : elles ont besoin, pour se donner, qu'on se prête à la tendresse, au romantisme, aux soupers aux chandelles. Mais ils me disent qu'elles ne sont ni romantiques ni tendres, qu'elles ne font pas l'amour mais qu'elles baisent. Quels menteurs ! Ils ajoutent que les Québécoises sont des quitteuses avec un grand Q, et font leurs valises aussitôt qu'on ne les fait plus jouir, excusez la franchise de leur vocabulaire mais je vous avais prévenus sur mes amis. Enfin ils ne décrivent pas des Québécoises mais des monstres.

Or je veux bien accepter les ours mangeurs d'homme, les lynx à Vancouver et les chacals des prairies qui attaquent les enfants : mais les Québécoises ainsi décrites, je ne peux pas le croire.

Alors d'où vient, me demandent-ils, le taux de suicide que nous connaissons ? Des ours mangeurs d'hommes, des lynx de Vancouver, des chacals des prairies ? Ou des femmes ? Mes amis ont des idées monstrueuses, je crois que je ne les choisis pas bien. Si un homme, poursuivent-ils, n'a plus aucun pouvoir; s'il doit obéir aux femmes parce qu'il doit expier sa nature; si on le jette aussitôt qu'il a servi; si on lui prend ses enfants après avoir pris son argent, sa dignité et, pour ainsi dire, ses hormones : et si, quand il s'en plaint, on le traite de macho, de phallocrate, de dégénéré, on l'envoie voir une psychologue, que pense t il de lui-même ? Ce qu'elles pensent de lui, c'est-à-dire pas grand-chose.

Comme je ne les crois pas, ils me recommandent d'essayer. Mais c'est à ce moment que je prends peur. Car s'ils mentent, je n'aurai gagné qu'un jeu; mais s'ils disaient vrai, j'aurais perdu la vie. Et j'aime tant la vie au Québec que j'ai fini par craindre les Québécoises. À cause de mes amis menteurs.

Leçon de survie

Un immigré du nom de Boniface F.Kiraranganaya (sans doute un Allemand) a proposé en novembre 2001 à l'Unesco que les Québécoises soient reconnues comme la huitième merveille du monde. L'Unesco a refusé. C'est honteux.

Auto-divorce est un service aidant les couples qui s'entendent parfaitement à divorcer *(450-671-0804)*.

Beaucoup des Québécoises visées par cet article sont actuellement assises au **Buona Notte**, *3518 rue* *St-Laurent*, mais il est impossible de leur parler si l'on n'est pas producteur de musique ou de cinéma. (On peut se faire des cartes de visite de producteur sur ***www.vistaprint.com***.)

52 % des Montréalais sont des Montréalaises. Sur 1 016 376, ça fait 527 340. (En 1666, sur une population de 3 136 personnes on comptait 716 célibataires masculins pour 45 filles à marier.)

Aujourd'hui elles nous enterreront tous, selon Statistique Canada. Car malgré leurs épouvantables conditions de vie dont nous sommes chacun personnellement responsables, sur 3795 centenaires, **3055** sont des femmes.

Certaines Montréalaises sont des Montréalais.

Pour dire draguer on dit **cruiser** qui se prononce « crouzer ».

Les Québécoises estiment que les Québécois ne savent pas crouzer.

Les Québécois estiment que les Québécoises deviennent agressives quand on les crouze.

82,7 % (certains prétendent qu'il s'agirait plutôt de 87,8 %) des Québécoises attachent leur soutien-gorge à l'envers. Elles l'agrafent sur le ventre puis le tournent et le remontent sur leur poitrine.

Les Québécoises et les Québécois ont des problèmes car elles trouvent qu'ils ne pensent qu'au **sexe**. Et ils pensent exactement la même chose d'elles.

Un truc simple qui marche, proposé par **Diane Tell** : être capitaine d'un bateau vert et blanc, choisir des parfums qui rendent fou, faire l'amour sur la plage puis faire construire une villa juste à côté de Milan dans une ville qu'on appelle Bergame.

Richard Burton et **Elizabeth Taylor** se sont mariés à Montréal (au Ritz) en 1964.

Entre 1970 et 1998, le nombre des mariages a baissé de **50 %** au Québec (merci Richard et Elizabeth).

« Je ne suis ni né ni mort grâce à… Capotte Hector » vous vous souvenez ? **La Capoterie**, en vend à la pelle : *2061 rue St-Denis (845-0027)*.

Selon une étude menée par Durex, les Canadiens **font l'amour en moyenne 99 fois** par an mais les Québécois le font 106 fois (les Français 110).

Beaucoup de Montréalaises sont **bisexuelles**.

ARRÊT STOP De nombreuses Québécoises ne ferment pas la porte des toilettes quand elles s'y trouvent. Il est donc utile d'avertir de sa présence par un discret sifflotement de *La Marseillaise*.

Annonces parues dans la presse montréalaise : « Si tu veux un « vrai » service avec une femme très très chaude, et si tu aimes de grandes jambes, un corps dur, un ventre sculpté et des seins qui pointent vers le haut : appelle 386-2711. Je reçoit (sic) en privé. »

(*Ici*, novembre 2001). Intéressé ? Apportez-lui un *Bescherelle*.

À propos de grammaire, vous trouvez ça juste, vous, qu'on dise un professeur quand il est une femme ? Les Québécoises non plus. On dit une professeure, même si elle enseigne le français. D'ailleurs on dit aussi une avion, une hôtel, une job, une business. C'est complètement normal étant donné qu'une femme peut très bien, par exemple, avoir pour job de piloter un Boeing, ce qui la fait forcément dormir seule à l'hôtel, bande de nases.

« Genius Carolle, mature, 42 ans, agréable massage sensuel donné par une personne ordinaire, mais fine : 254-2947 » (*Ici*, novembre 2001). Genius Carolle, tu me fends le cœur !

Les filles du Roy

contrairement à la légende, n'étaient pas des prostituées mais des filles étroitement surveillées quant à leur moralité. Envoyées en Nouvelle-France par Louis XIV pour peupler la colonie, on les choisissait de préférence orphelines, costaudes, âpres au travail et résistantes au froid. Elles étaient encadrées par des religieuses et provenaient principalement d'Île-de-France. La légende date de... 1640. « On nous a dit, lit-on dans la *Relation des Jésuites* de 1641, qu'il courait un bruit dans Paris, qu'on avait mené en Canada un vaisseau tout chargé de filles dont la vertu n'avait l'approbation d'aucun docteur : c'est un faux bruit, j'ai vu tous les vaisseaux, pas un n'était chargé de cette marchandise. »

SEX IN THIS CITY

Je n'ai vu que deux endroits : le premier, un club de strip gai très réputé à Montréal : **Le Campus** *(1111 Sainte-Catherine Est, 526-3616)* où les femmes se précipitent en fin de semaine. J'ai eu droit à un danseur en pleine érection à trente centimètres de mon nez qui est court. C'est incroyable l'effet que je fais dans ce club. Le deuxième, un dimanche matin, à l'heure où j'allais autrefois à la messe, dans un bar de danseuses sur une route de campagne. Une superbe fille m'a demandé mon signe astrologique. J'ai répondu « balance » et elle « moi aussi », coïncidence inouïe. Sa collègue ayant entraîné le mien dans un « isoloir » pour lui faire une « danse contact », j'ai continué sur l'astrologie car elle m'avait affirmé qu'elle était très spirituelle mais finalement elle est partie furieuse. Mon ami s'est plaint ensuite que la fille lui écrase le nez (qui est long) avec sa poitrine. En fin de soirée heureusement, il n'avait plus mal.

Douceur de vivre à Montréal

Fraîchement débarqué...

À Réjane

À onze heures du soir, je fais mes courses dans un grand magasin; à six heures du matin, je prends mon déjeuner au Petit Milton, et parfois je le prends à midi. En été, je mange à la terrasse et en hiver la grande fenêtre me sert d'écran de cinéma pour regarder, en mangeant mes deux œufs saucisse, les passants sous la neige. Aux tables voisines, des étudiants américains, un professeur de psychologie, un couple qui vit à six cents kilomètres. Je lis un journal qu'on m'a donné, je fume une cigarette qui ne dérange personne, je bois un café qu'on me ressert sans que je l'aie demandé; je vis comme je l'entends, je suis à Montréal.

La douceur de vivre, je ne l'ai connue qu'ici. Elle n'existe plus à Paris, ni à Bruxelles, ni à Londres; on ne la cherche plus à New York ni à Los Angeles. Elle est ici, celle dont les poètes français du XVIIe siècle parlaient si bien, elle est dans ce joyau de lumière enfoui dans la forêt : elle est à Montréal. Ici, l'on peut jouir de la seule faculté d'exister, qui est le bonheur disait Paul Valéry. Oui, sans doute, elle est ailleurs aussi : en Touraine, en Toscane, en Grèce. Mais là, je m'ennuie car je n'ai pas la ville, ou une ville trop petite, trop « bovarienne » où je ne peux m'étirer. Ici je m'étire et personne ne me regarde. On me laisse tranquille, on me laisse savourer mon existence.

Bien sûr, je ne vis pas dans les banlieues Nord, je suis sur le Plateau. Bien sûr, mes réflexions sont un peu bourgeoises : mais même à Neuilly, même à Beverly Hills, je ne ressentais pas ce que je ressens. Dans ces endroits du monde, il y a le calme, mais c'est un calme acheté, payé, policier. Les voitures de sécurité tournent à tout instant, comme avant une émeute. À Los Angeles, dans n'importe quel quartier, il est impossible de passer une soirée calme au bord d'une piscine sans le vacarme des hélicoptères de la police. On fait des barbecues presque sous les projecteurs. À Paris, on peut goûter le silence, encore, mais les convives sont si stressés qu'ils tendent les molécules d'oxygène. Ici, je ne paie plus, je n'achète plus le calme. Je le mange. Il vient des érables et des bouleaux, il est fabriqué dans le Nord et ses effluves inondent mon Canada bien-aimé. Et si je rencontrais les « motards » comme on dit ici, c'est tout l'exposé que je leur ferais : faites moins de bruit avec vos motos car vous faites mal aux arbres. À la douceur de vivre à Montréal.

Leçon de survie

Montréal est la capitale du **massage** et l'on trouve toutes les techniques imaginables :

> Suédoises : **Spadiva** (985-9859)
> Shiatsu : **Université de Montréal** (345-1741)
> Avec shirofhadara (filet d'huile chaude répandue sur le front) : **Estelle Miousse** (527-3230)

On peut se faire masser

- Par des étudiants en massage à l'**École professionnelle de massage** (728-1583);

- Sur une chaise : **Massage Action** (766-3373)

- À domicile : **Clinique de Massothérapie** (768-0513)

 Par un robot, fauteuil de massage, 10 $ pour 15 minutes, **D-Stress** (525-3177) ouvert jusqu'à 22 h sauf exception. Fan-tas-tique.

N'est-il pas complètement nul d'interdire aux gens de marcher sur les pelouses, mêmes quand elles sont manucurées ? Cette stupidité européenne n'a pas cours ici. Non seulement on peut marcher sur les pelouses des **parcs**, mais on peut aussi y dormir, pique-niquer, étudier, jouer de la guitare, faire l'amour en cachette, etc. Et ce n'est pas la place qui manque : il y a 700 parcs et espaces verts un peu partout dans la ville. D'ailleurs le parc Jeanne-Mance a reçu la visite de Buffalo Bill. C'est quand même une preuve, non ? L'ensemble des plus beaux parcs sur **www.montreal.qc.ca/parcs-nature**.

J'informe ceux qui auraient le nez bouché qu'il flotte sur Montréal une **odeur de marijuana**, particulièrement dans les parcs, d'abondantes cultures se trouvant sur le balcon juste en face de chez vous.

Montréal est unanimement réputée pour la **gentillesse et la convivialité de ses habitants**. Veillons à ne pas importer ici notre stress (parisien), notre déprime (belge), notre agressivité européenne et toutes ces mauvaises habitudes qui pourrissaient notre vie. Dire merci à un chauffeur de bus, céder sa place à une femme enceinte dans le métro contribuent quotidiennement à notre qualité de vie à tous en procurant de petits moments de plaisir à chacun. Rendons à Montréal la douceur que nous avons d'y vivre !

La police est d'une courtoisie extraordinaire. Elle pourrait donner des leçons à nos divers gendarmes et gendarmettes européens. D'ailleurs, les administrations publiques étonnent par leur efficacité et leur politesse.

L'accès aux **handicapés** est prévu dans la majorité des bâtiments publics, dans de nombreux taxis et dans la plupart des grands magasins.

Il y a six communes de plus de 2000 habitants qui s'appellent Montréal en France (mais ce n'est pas de là que vient le **nom** : Montréal vient de **mont Royal**, royal signifiant à l'époque, beau, grandiose, exclamation que lança Jacques Cartier quand il découvrit le paysage. Jacques avait l'habitude de pousser des exclamations au-dessus des collines, car il s'exclama aussi « Monste Regus ! » quand il aperçut, du mont Royal justement, les onze collines de la plaine du Saint-Laurent. C'est devenu la Montérégie. Heureusement qu'il ne parlait pas flamand.

Il y a 445 000 **arbres** à Montréal et un type qui a passé son temps à les compter. La Ville organise en automne la collecte des feuilles mortes (des souvenirs et des regrets aussi) qu'elle recycle en compost distribué gratuitement par la suite. Idem avec les sapins de Noël. Nous devons aider Montréal à respecter la nature et à montrer aux autres comment elle fait.

LA SAISON DES COULEURS

La saison des couleurs, l'automne, est un phénomène extraordinaire à admirer dans la nature montréalaise. Vers la fin du mois de septembre et jusqu'en novembre, les feuilles des arbres prennent des colorations allant du jaune vif au rouge sang, parfois sur le même arbre. Cela donne une impression merveilleuse en forêt. Mais d'où cela provient-il, oncle Paul ? Du fait que la chlorophylle (qui donne la couleur verte aux feuilles) n'est plus synthétisée car l'arbre retient la sève en prévision de l'hiver. D'autres éléments viennent alors pigmenter la feuille et lui donner ces couleurs magnifiques. Dans le cas de l'érable, ce phénomène est doublé par l'accumulation de sucres qui provoque la synthèse des composés colorés.

Leur pays c'est l'hiver

Fraîchement débarqué...

À Rachel

« Mais qu'est-ce que tu vas faire en hiver ? » est la question posée à tout Européen qui émigre au Canada par des gens qui n'y ont jamais été. Certains prétendent qu'entre décembre et février, on crache des glaçons, la grande majorité assure qu'à Montréal en hiver on ne voit personne en rue car toute la vie devient subitement souterraine, le monde passant du métro à sa cave sans jamais voir l'air pur : en cette matière comme en tant d'autres, la plupart des gens aiment à parler de ce qu'ils ne connaissent pas et prévenir des dangers qu'ils n'ont jamais rencontrés.

« Comment trouves-tu l'hiver ? » est, en revanche, la question que posent tous les Canadiens aux Européens qui l'ont passé ici. Il y a dans cette interrogation une sorte de fierté touchante. On croirait entendre un Belge demander : « Comment trouvez-vous nos frites ? » à un Polynésien en visite à Bruxelles. Le froid est au Canada ce que notre plat national est à Bruxelles : il se déguste et il s'exporte.

Quel temps fait-il en réalité l'hiver à Montréal ? Je trouve qu'il y fait plus chaud en décembre qu'à Paris en février et la raison en est bien simple. À Paris, personne n'a pensé lutter contre le froid; le froid n'est pas un ennemi, c'est un inconvénient. Comme il n'est pas vital de l'éviter, on trouve normal de le subir : mais à Montréal, c'est un danger mortel. On peut périr de froid comme étouffer sous la neige. Le « verglas » peut paralyser et faire mourir de faim. Dans cette Europe que peut-il faire, le froid ? Faire froid…

À Paris, à Bruxelles, à Londres, enfin en Europe de l'Ouest, le moindre gel prend ainsi des allures de phénomène : cinq centimètres de neige font la première page des journaux car personne, sauf les pompiers, ne peut l'enlever; mais personne, sauf exception, n'en meurt; alors on laisse faire.

Un jour qu'en France, ayant grelotté toute la nuit dans ma chambre d'hôtel, je m'en plaignis, l'hôtelier me répondit : « Évidemment, c'est l'hiver ! » Tout le monde trouve absolument normal de frissonner à partir de novembre pour attraper la grippe en janvier. À la même période, à Montréal, le métro est si chaud qu'on dirait une gigantesque cloche posée sur la ville.

Oui mais dehors ? Dehors, c'est parfois terrible, je l'avoue. L'hiver dernier, le froid était si fort qu'il me faisait rire, comme quelqu'un qui exagère. Mais chez moi, j'avais trop chaud, j'ouvrais les fenêtres avant de m'endormir et, couché sous ma douillette, heureux quoique célibataire, je me disais : Montréal est une ville où il fait froid et où je n'ai pas froid.

Leçon de survie

- **Prévisions météo**
  (283-3010)

- **État des routes**
  (284-2363)

- Si vous croyez qu'il fait froid à Montréal parce que vous êtes au nord, vous avez tout faux. Montréal est à la même latitude que Bordeaux. Mais Montréal, à la différence de Bordeaux, jouit d'un climat continental (la mer est à 1600 km) et est dominé par les vents d'ouest. C'est pourquoi les températures sont extrêmes.

- Les records : **-37°** (en février) **+40°** (en août). Et en plus ils en rajoutent car la météo croit nécessaire de préciser qu'avec le « coefficient de refroidissement éolien » (le facteur vent) qui calcule la température réellement ressentie, il fait en vérité beaucoup

plus froid. En janvier 1997, on ressentait ainsi **-50°**. En été, c'est le contraire, il fait beaucoup plus chaud que le thermomètre à cause du « facteur humidex ».

- Il tombe en moyenne **2,50 m de neige** par hiver sur Montréal (d'habitude pas d'un coup).

- Un million de Québécois qui adorent l'hiver partent chaque année dans le sud pour fêter ça (Floride, Mexique, République Dominicaine et Cuba).

- Désolé Joe, on t'aimera encore lorsque l'amour sera mort, mais **l'été indien** s'appelle en réalité *l'été des Indiens*. Météorologique—ment, ce réchauffement est dû à des courants chauds venus du golfe du Mexique après gel préalable.

- Étymologiquement, on l'appelle ainsi parce qu'il donnait aux Indiens l'occasion de faire leur dernière chasse avant l'hiver. Psychologiquement, ça fait du bien.

- Pendant l'hiver canadien, il faut veiller particulièrement aux extrémités du corps :

Pour les pieds, chausser des souliers prévus pour le froid et la gadoue de Montréal. Acheter des semelles thermiques (chez Dollarama évidemment) et un produit pour nettoyer les traces de sel, de calcium et d'eau (la Ville déverse une moyenne de 120 000 tonnes de sel et 132 tonnes de chlorure de calcium par hiver). À défaut, un peu de vinaigre fait l'affaire mais il faut nettoyer tout de suite.

Pour la tête, prévoir un bonnet, sans aucun complexe car 30 % de la déperdition calorifique se fait par la tête et 90 % de la population en porte. Idéalement, choisir un manteau muni d'un capuchon car on oublie facilement son bonnet, on est distrait, on se croit encore en Europe, peut-être ? Veiller particulièrement aux oreilles. Quand elles commencent à geler, entrer immédiatement dans une boulangerie (ou n'importe quel autre endroit chauffé).

Parce que **les lèvres** ne s'humidifient pas naturellement, il faut les enduire de baume.

Protéger **les yeux** de la luminosité de la neige et porter des lunettes anti-UV.

Les gants sont indispensables dès qu'on descend sous **-15°**.

Il est pratiquement impossible de passer l'hiver sans tomber au moins une fois, à cause du verglas, sur de la glace. C'est pourquoi je suggère de porter des **vêtements matelassés** et de ne pas rouler à vélo. Il est déconseillé de tomber au Québec quand on n'est pas tout à fait en ordre de papiers, c'est pourquoi il faut s'abstenir aussi de sports d'hiver avant d'avoir obtenu son statut de résident permanent.

Le secret des secrets consiste à s'habiller en couches plutôt que se ruiner en matières hyper-thermo-quelque-chose qu'on doit laisser aux pigeons. Il faut au moins trois couches, pas trop serrées, comprenant : une camisole, une chemise et un pull. Pour le dessous, ne pas hésiter à porter des **caleçons longs** (les Québécoises sont habituées).

On trouve des manteaux de l'armée canadienne dans les surplus. Ils sont très chauds et portent la feuille d'érable en écusson, ce qui fait toujours bien en Europe. Sur le Plateau, il y a un surplus sur Saint-Laurent *(Surplus International, 1431 St-Laurent, Montreal 499-9920)*, marchander.

• On peut faire installer un **démarreur à distance**, histoire de réchauffer la voiture avant d'y embarquer. Car rien n'est plus froid qu'une voiture froide.

ARRÊT STOP Question : Comment enterrait-on les morts par **-20°** en pleine campagne, avec une terre gelée et aucun moyen de transport ? Réponse : on les entreposait sur le toit en attendant le dégel.

• Il est d'usage d'enlever ses souliers quand on entre chez quelqu'un et d'offrir des pantoufles quand on reçoit. Ceux qui ne veulent pas se déchausser peuvent acheter des caoutchoucs (« des claques ») qui protègent les souliers. On les enlève quand on entre. On en

trouve chez les cordonniers. C'est complètement démodé, ça ne garde pas les pieds au chaud et ça coûte environ 20 $. Pour les autres, le plus malin est d'acheter des souliers à boucles.

• L'aspirine est moins utilisée au Québec qu'en Europe. Demander du Tylenol.

• Les Québécois commencent à trouver l'hiver trop long vers le mois d'août à Chibougamau.

• **La boisson la plus authentique** du Québec en hiver est le *Muled Ale*. Ça se fait comme ça : rassembler des amis auprès du feu. Dans un bock, mélanger une cuiller à thé de miel, un peu de muscade et une bière blonde. Pendant ce temps, faire chauffer le tisonnier en le plaçant sur les braises. Dès qu'il est chauffé à blanc, le plonger dans le bock. En le buvant, raconter la blague des castors (voir p. 149)

Kit de survie recommandé pour la maison

À la suite du « verglas » qui a paralysé complètement Montréal pendant plusieurs semaines, le gouvernement recommande d'avoir toujours chez soi :

• Une lampe de poche munie de piles
• De l'eau minérale
• Une couverture thermique
• Un réchaud à gaz

Montréal ville gay

Fraîchement débarqué...

À Rodrigue

Que j'aime voir sur Saint-Denis les couples gais, se promenant main dans la main en plein été ! Qu'elle est belle à voir la liberté de s'aimer ! Le degré de démocratie d'un pays ne se juge pas à ses lois mais à ceci : une main libre de tenir l'autre, le mouvement d'un bras sur une épaule, le rire sur un banc public; et l'on peut me donner tout l'or du monde : si je ne puis vivre dans un pays où tout le monde peut s'aimer, je ne veux pas même y mourir.

Il faut en outre, d'un point de vue pratique, compter tous les avantages qu'apportent les gais à une ville. Quand les hommes se permettent d'être sensibles, ils vibrent si fort que les villes en tremblent. L'esthétique, la beauté, l'imagination, la fantaisie ont soufflé sur Montréal; j'en vois les effets dans les vitrines, les bars, les vêtements. Montréal s'embellit de mois en mois et je tiens que c'est grâce aux gais. Quand je reviens d'Europe, je me réjouis, dans l'avion, des changements que je verrai sur Saint-Laurent, des nouvelles boutiques, des nouveaux restaurants, des nouvelles idées dans le Village. J'ai hâte d'atterrir, je demande au taxi d'aller plus vite, j'ouvre les fenêtres, j'écoute la radio, j'attends la fantaisie. Quelque chose est si heureux en moi de retrouver Montréal; mon plexus se dilate et mes yeux sont grand ouverts. Et chaque fois que je me réjouis si fort, je me dis : n'est-ce pas cela, la gaieté ?

Leçon de survie

Montréal est, après San Francisco, la deuxième ville « gai friendly » d'Amérique du Nord. Un doute ? Lisez ça :

Association des ambulanciers, pompiers, agents de sécurité et de parasécurité publique

gais, lesbiennes et bisexuel(s) du Québec, AGAPAS
(528-8424)

Association des pilotes gais
(945-0511)

Association des policiers et pompiers gais du Québec
(info@appgq.org)

Association interne des gais et lesbiennes de la STCUM
(528-8424)

Association nationale des journalistes gais et lesbiennes
(848-0777)

Chambre de commerce gaie du Québec
(522-1885)

Forum des Gais et Lesbiennes Syndiqués du Québec
(389-1538)

Centre communautaire des gais et lesbiennes de Montréal
(528-8424)

Coalition Gaie et Lesbienne du Québec
(418-836-6066)

Table de Concertation des lesbiennes et des gais du Québec
(528-8424)

Le Réseau des Lesbiennes du Québec, RLQ
(281-0146)

Centre de Services juridiques des Lesbiennes et Gais
(528-8424)

Action Santé Transexuel(le) et Travestis
(890-7016)

Alcooliques Anonymes
groupe pour gais et lesbiennes (amis et familles des alcooliques)
(866-9803)

Conjoints hétéros de gai(e)s
(630-1040)

Émotifs gai(e)s anonymes
(990-5886)

Groupe d'Entraide multiculturel des Gais et Lesbiennes de Montréal
(528-8424)

Groupe Intervention Violence Conjugale Lesbienne
(990-1518)

Réseau Transgendriste Québec
(transexués, transexuels et travestis)
(529-9530)

Image et Nation Gaie et lesbienne
(285-4467)

Archives Gaies du Québec
(287-9987)

Groupe Interdisciplinaire de Recherche et d'Études : Homosexualité et Société
(987-3000)

Association des Motocyclistes Gais du Québec
(amgq_mtl@yahoo.com)

Aérobie Gayrobic
(527-2427)

Badminton les G-Bleus
(523-0722)

Militaires gais, lesbiennes, bisexuels et transsexuels
(418-524-7949)

Association des mères lesbiennes de Montréal
(846-1543)

Association des pères gais de Montréal
(990-6014)

Parents d'enfants gais
(282-1087)

Lesbian, Bisexual, Gay & Trangender Students of McGill
(398-6822)

Association gaie anonyme pour prêtres exclusivement, AGAPE
(450-668-6112)

Gai Écoute
(866-0103)

Fugue
magazine gai, édite le *Guide Arc en Ciel*, bisannuel gratuit
(848-1854)

Guide Arc en Ciel
bisannuel bilingue bisexuel et gai, gratuit édité par le magazine *Fugue*
(848-1854)

La Conciergerie Guest House
pour hommes seulement, hôtel de 17 chambres non-fumeur, 77-135 $,
(1019 rue St-Hubert 287-9227, info@laconciergerie.ca).

Se faire escorter par un **skinhead**
(279-0128)

Se faire masser les pieds par un gai fétichiste : **Michel** *(527-0381)*

Fraterniser avec des danseurs nus qui jouent occasionnellement au billard entre leurs danses :
Stock Bar *(842-1336)*

Épilation de l'anus au laser pour 99 $: **Éclipse** *(383-0123)*

Manger une omelette préparée par un jeune boxeur nu chantant *New York New York* avec un accent vietnamien : pour l'année prochaine.

Deux cents millions de dollars sont dépensés par année par les touristes gais à Montréal.

Gruppo italiano Gay e Lesbico du Montreal
(374-4022)

Association des gais et lesbiennes arménienne
(282-8880)

Gay Grec Gai
(528-8424)

Association des Juifs et Juives gais de Montréal, YAKDAV
(933-7387)

Le Festival International de danse (gaie) country a eu lieu à Montréal en 2003.

La **Conférence annuelle d'Interpride** (représentants des plus importantes célébrations de la fierté gaie) s'est déroulée à Montréal fin septembre 2003 à Montréal.

Les **Noragaymes**, événement sportif et culturel pour les gais et lesbiennes d'Amérique se tiendront à Montréal en juillet 2004.

Le **Festival des Chorales Gaies et Lesbiennes** aura lieu à Montréal en 2004.

Les « **olympiades gaies** » auront lieu à Montréal en 2006.

La « **célébration de la fierté gaie et lesbienne** » a lieu tous les ans à la fin juillet. Autour du 5 août, on peut voir le « Défilé de la fierté » qui est une sorte de carnaval. Il faut aimer le bruit, les fanfares et la joie obligatoire *(285-4011)*.

L'**Exotica** se dit « le seul bar latin gai à Montréal ». Est-ce un bar ? Plutôt une boîte. Est-ce latin ? Plutôt latino. Est-ce gai ? Il faut aimer. Est-ce à Montréal ? Pas de doute : *417, rue St-Pierre (281-1773)*. Ouvert jusqu'à trois heures du matin.

Le **Sky** est un bar branché (sur quoi exactement ?) en plein milieu du Village. Shows travestis, etc. : *1474 rue Ste-Catherine E. (529-6969)*.

Unity est une discothèque gaie bien connue qui ressemble à toutes les discothèques gaies bien connues : *1400 rue Montcalm*.

La **station de métro Beaudry** est la seule station au monde à être décorée aux couleurs du drapeau gai.

Ce qu'ils pensent de nous

Fraîchement débarqué...

À Marie-Hélène

Les Québécois ne peuvent pas aimer les Anglais, c'est entendu. Comme les irréductibles Gaulois à l'égard des Romains, ils ne peuvent davantage, pour les mêmes raisons historix, aimer les Américains – d'ailleurs qui les aime ? Mais ils n'aiment pas plus les Canadiens d'Ottawa à Vancouver, qui menacent leur existence. N'y a-t-il pas là quelque chose d'aisément compréhensible ?

Tout le monde sait qu'ils n'aiment pas trop non plus les Français car ils les ont vendus : comment le leur reprocherait-on ? Je veux dire comment pourrait-on reprocher aux Québécois de ne pas aimer deux cents millions de personnes ?

D'ailleurs la terre est vaste. Éliminons de l'Europe les Français et les Anglais, il reste tous les autres. Oui mais les Québécois ne parlent ni l'italien, ni l'allemand, ni le flamand, ni le grec : comment pourrait-on les accuser de ne pas aimer des gens dont ils ne comprennent pas la langue ? N'est-ce pas logique, puisqu'ils n'aiment pas trop non plus, me dit-on à Outremont, ceux dont ils ne comprennent pas la religion, hassidique en l'occurrence. Il est impossible d'aimer ceux qu'on ignore : bref, quittons Outremont mais quittons aussi l'Europe où les langues sont étrangères, et oublions ainsi trois cents millions de personnes. Voyons l'Afrique. Les Québécois aiment-ils les Africains ? Veut-on rire ? Laissons-les en Afrique : l'addition est maintenant montée à six cents millions. Reste l'Asie. La vaste Chine, le Vietnam, le Japon, la Thaïlande : qui peut se permettre de payer ces voyages ? Et qui a envie de passer des vacances à Pékin ? Les Chinois sont tortionnaires et ont volé la flamme olympique au Canada : il faudrait être bouddhiste pour dépasser le goût de la revanche. Non, vraiment, plus j'y pense, plus je trouve que les Québécois ont d'excellentes raisons de détester quatre milliards d'individus, à commencer par le « Paki du Dep » chez qui ils achètent leur lait tous les matins.

Leçon de survie

Le Quartier Chinois est situé à l'angle du boulevard Saint-Laurent et de la rue La Gauchetière. L'immigration chinoise a d'abord été soumise à une « taxe d'entrée » de 500 dollars en 1905, puis interdite au Canada de 1923 à 1947. En 1907, le Canada signe une entente avec le Japon pour en limiter aussi l'immigration et interdit également l'immigration en provenance de l'Inde.

La Petite Italie est située au-dessus du Plateau entre Saint-Zotique et Jean-Talon. Les Italiens sont la plus importante communauté étrangère de Montréal. Débarquant en masse au début du XXᵉ siècle à Montréal, essentiellement en provenance de la Sicile et du Sud, ils travaillent surtout au réseau ferroviaire. Pour des raisons politiques (ils ne parlaient pas français), les Italiens n'ont pas été admis dans les écoles francophones, de sorte que la plupart ont été éduqués… en anglais !

Les Portugais sont surtout implantés au Portugal mais également entre Mont-Royal et des Pins sur Saint-Laurent. Les premiers Portugais arrivent au Canada avant les Canadiens (1452). Ils reviennent en grand nombre à partir de 1953, en même temps que

les Espagnols, surtout des Açores, surpeuplées. Les Portugais ont beaucoup rénové les maisons des quartiers qu'ils habitent.

La première loi sur l'immigration du Canada classait la Belgique parmi les pays préférés. **Les Belges** arrivent à la fin du XIXᵉ siècle et jouent un rôle majeur dans la lutte ouvrière au Canada car ils proviennent majoritairement de mouvements syndicaux wallons. Les Flamands se dirigent davantage dans la culture laitière et maraîchère. L'immigration la plus importante a lieu entre 1945 et 1975.

Les Juifs étaient au départ interdits de résidence en Nouvelle-France où l'on n'accepte que des catholiques. Dès l'abandon de la colonie par la France, ils intègrent Montréal et y créent en 1769 la première synagogue du Canada. Les violences dont ils sont l'objet dans l'Empire russe, poussent les Juifs vers l'étranger dès la fin du XIXᵉ siècle. Le Canada leur ferme ses frontières à partir des années 1930 jusqu'après la guerre. On compte à peu près cent mille Juifs aujourd'hui à Montréal. Le premier quartier juif se situait entre Sherbrooke et Mont-Royal (il reste d'ailleurs les commerces du début du XXᵉ siècle). Ils se déplacent ensuite vers le Mile End-Outremont où se trouve la communauté hassidim, puis enfin vers Côte-des-Neiges et Côte-Saint-Luc.

C'est grâce aux **Allemands** que les Inuits ont une langue écrite. Au XVIIIᵉ siècle, une communauté morave est en effet envoyée en mission dans le nord du Labrador pour y enseigner. Elle crée le premier dictionnaire de cette langue. Les « Germano-canadiens » ne viennent pas forcément d'Allemagne mais aussi d'Europe de l'Est et d'Amérique du Sud. Les Allemands arrivent à Montréal vers la fin du XIXᵉ siècle.

Les Suisses arrivent en 1604 en tant que mercenaires du roi de France. Ce pays qui a inventé la croix rouge et la neutralité est en effet réputé pour ses soldats jusqu'au XIXᵉ siècle. Ils sont ensuite employés comme guides de montagne dans les Rocheuses. Aujourd'hui, certains laboratoires de recherche pharmaceutique suisses sont installés à Montréal.

Haïti est le pays où les Québécois envoient le plus de missionnaires, après le Japon. Entre 1974 et 1989, **les Haïtiens** constituent le plus important groupe d'émigrants au Canada et 90 % d'entre eux sont regroupés dans le grand Montréal. Ils sont les plus nombreux à Côte-des-Neiges, Saint-Michel et Rivière-des-Prairies.

Les Anglophones (« les Anglais ») de Montréal se prennent pour une espèce menacée. D'ailleurs ils n'ont qu'un journal, sept radios, deux universités et deux stations de TV. Beaucoup se plaignent qu'on les traite injustement de colonisateurs alors que, n'étant pas nés à l'époque, ils n'ont même pas pu en profiter. Ils sont nombreux à vivre à Westmount (66 % de la population y est anglophone) l'un des quartiers les plus chics de Montréal.

La plus grande banque de crédit d'Amérique du Nord a été fondée par des **Polonais** (Caisse Saint-Stanislas). Le premier d'entre eux est arrivé au Canada en 1752 et le dernier sans doute hier. Ils sont près d'un million au Canada (surtout en Ontario). Le quartier Prince-Arthur et Saint-Laurent était autrefois appelé la Petite Pologne.

Le Mexique est fièrement représenté par le huart (le canard sur les billets de 20 $ et les pièces de 1 $) d'où il revient tous les ans à 120 km/h.

Il n'y a pas de **quartier français** mais il y a un bar Pernod sur Saint-Laurent, **Les Minots** : *3812 bd St-Laurent (844-8543).*

L'Autre Montréal propose des visites guidées sur le thème du « Montréal ethnique » car nous sommes une ethnie *(521-7802)*.

Associations d'aide aux immigrants : voir p. 97

Télé, radio et vidéo

Fraîchement débarqué...

À *Michaël*

Nous vivons peut-être au siècle de la communication mais personne ne reçoit TQS en Europe, ni France 2 à Montréal. Le jour approche où nous regarderons les mêmes postes, car nous voyons déjà les mêmes films, mais que Dieu nous en garde : car quel plaisir de découvrir de nouvelles chaînes francophones quand on arrive à Montréal !

La télévision est l'une des manières les plus rapides d'apprendre la mentalité d'un pays et ses préoccupations quotidiennes. Un jour vers midi, j'allume au hasard la télévision en mangeant un sandwich à la dinde; l'on m'annonce fièrement : « le thème de l'émission d'aujourd'hui est : le vagin en santé ». Mon sandwich m'en tombe; l'animatrice, vraiment charmante et parlant du sexe comme personne n'en parle en Europe, sort de son sac un vagin en plastique qu'elle manipule avec dextérité : comme d'autres voyagent sur les montagnes russes à La Ronde, me voici, avec mon sandwich à la dinde, plongé dans le vagin, à une vitesse foudroyante car l'animatrice est une experte quand je constate, peu fier quant à moi, que l'on peut visiter beaucoup de choses sans du tout les connaître. C'était évidemment *Sexe et Confidences*.

J'adore Télé-Québec; j'adore Partis pour l'été sur TQS et je considère Chantal Lacroix comme l'une des meilleures animatrices francophones. Elle est vive, elle est vraie, elle est belle, elle est coquine. J'aime Historia et Musimax, enfin, je n'ai pas la place d'énumérer tout ce que j'aime. J'aime aussi les informations. Les Européens leur reprochent de ne pratiquement jamais parler de l'International mais c'est justement ce que j'apprécie. Car je me suis rendu compte qu'apprendre la nouvelle d'une catastrophe ferroviaire en Inde, ou d'un remaniement ministériel en Israël ne m'apporte absolument rien. Il est plus utile de savoir que le gang des voleurs de petites culottes a encore frappé sur le Plateau car cela produit une conséquence immédiate sur le comportement de mes voisines qui les rentrent le soir : tandis qu'une guerre en

Indonésie ne produit que des bons sentiments. Les informations en Europe sont prétentieuses et ennuyeuses. Ici, elles sont simples et conviviales.

Enfin, j'aime tellement la télévision du Québec que je n'ai plus le câble, car je passerais trop de temps devant l'écran.

Leçon de survie

LA TÉLÉVISION

Les canaux de télévision sont toujours placés au même numéro. C'est pourquoi on les désigne par leur emplacement plutôt que par leur nom (la 35, la 14...).

Sans câble, on a droit à **TQS, Télé-Québec**, **Radio-Canada**, **TVA**, **Radio-Canada anglophone** et

CTV. C'est gratuit, il n'y a pas de redevance.

Les chaînes commerciales s'interrompent toutes les sept minutes pour trois minutes de pub de sorte que regarder un film prend beaucoup plus de temps au Québec qu'en Europe.

AVEC LE CÂBLE DE BASE (SELON L'OPÉRATEUR), LES POSTES SONT	
Canal Savoir	chaîne didactique québécoise.
Canal Vie	santé, mode de vie, problèmes sociaux.
Historia	films et documentaires.
LCN	information continue en français.
MétéoMédia	le temps tout le temps. Mais vraiment tout le temps.
MusiquePlus	chaîne musicale destinée aux jeunes.
Musimax	chaîne musicale destinée aux adultes.
Radio-Canada (franco)	bizarrement, c'est une télévision (publique).
Radio-Canada (anglo)	same thing.
RDI	la chaîne des sports.
Télé-Québec	pas de pub pendant les films.
TQS	chaîne commerciale.
TVA	chaîne commerciale.
Évasion	chaîne focalisée sur les voyages.

AVEC LE CÂBLE DE BASE (SELON L'OPÉRATEUR), LES POSTES SONT

ARTV	Arte local.
Télé-annonces	ne diffuse que des annonces, avec photos et numéro de téléphone du vendeur. Maisons, manteaux, voitures, meubles, chambres à coucher, traîneaux, skis, chiots, cannes à pêche, etc. Donne une bonne idée de ce que possèdent les Québécois, de ce qu'ils vendent et du prix qu'ils en demandent. Passionnant mais en boucle. Se voit aussi sur ***www.teleannonces.com***. C'est ce qu'on appelle du mul-ti-mé-dia.
TV5	est un mystère car cette chaîne européenne diffuse essentiellement des films et des documentaires québécois et *La chance aux chansons*, plus quelques émissions européennes le soir. Il y a quelque chose que je n'ai pas compris dans leur stratégie. Chaque jour, on peut quand même comprendre devant le journal télévisé (belge, suisse, français) pourquoi on est parti.

Certains Européens ont trouvé le moyen d'avoir le câble sans le payer, au moyen de je ne sais quelle boîte noire qui permet une connexion. On dit que des camions passent dans la rue pour les détecter au radar, comme les Nazis faisaient avec nos grands-parents pour déceler les postes de radios.

Pour éviter la chambre à gaz, **Bell ExpressVu** *(1-888-759-3474)* propose un bouquet numérique de 20 canaux pour environ 30 $ par mois (n'oubliez pas de multiplier par 12). Il faut payer la parabole 100 $. On peut obtenir jusqu'à 200 chaînes différentes : en comptant 30 secondes par poste, il faut donc 100 minutes pour ne rien faire.

Pour ceux qui le voudraient absolument, on peut voir le journal de TF1 sur Internet ***www.tf1.com*** comme celui de France 2. Toute

l'actualité télé se trouve sur
www.toutelatele.com.

LES CASSETTES VIDÉO

On ne peut pas visionner au Québec les cassettes vidéo venues d'Europe (PAL ou SECAM). On trouve des magnétoscopes (il faut dire vidéos) multistandards sur Saint-Laurent *(1100 $, niveau métro Saint-Laurent)* et un Parisien est spécialisé dans les différents systèmes : **La Place Électronique 220** : *1412 bd St-Laurent (849-4441)*. On peut aussi convertir ses cassettes préférées dans beaucoup d'endroits.

 La Boîte Noire : *4450 rue St-Denis (287-1249)* et *380 av. Laurier O. (277-6979)*, loue tous les films du répertoire classique et moderne mondial. Envie de revoir un Renoir ou de montrer ce qu'était le cinéma français avant qu'il n'imite Hollywood ?

LES RADIOS

En FM

Radio-Canada 95.1 et 100.7

CKOI 96.9	NRJ, Fun...
CHOM 97.7	rock anglophone.
CIBL 101.5	la seule « radio libre » de Montréal.
CKMF (Radio Énergie) 94.3	un zeste de hip hop en plus que CKOI.
Cool Fm 98.5	la seule radio pour les jeunes, man.
Radio Ville-Marie 91,3	radio catholique.
CJPX 99,5	radio classique. La publicité les fait vivre comme toutes les autres mais ici elle est faite en 1950 et lue par l'animateur « la musique classique est encore meilleure quand on l'écoute dans une voiture munie de pneus Goodyear ». Et la pub est encore meilleure quand elle est faite par des pros.
Rythme FM 105.7	la seule à diffuser beaucoup de chanteurs français.
Cité Rock Détente 107.3	plutôt des balades et du soft. Les mauvais esprits l'appellent « cité-rock-matante ».

En AM

690 (AM)	infos en continu. Très utile pour les infos trafic.
CKAC 730	le France-Inter local.

Faire le ménage à Montréal

Fraîchement débarqué...

À Marc

Il y a deux acharnés dans mon poste de télévision qui passent une demi-heure par jour à hurler à propos d'une serviette. Je crois qu'ils veulent me la vendre. En attendant ce moment impossible, ils se la vendent mutuellement. C'est l'homme qui fait l'article à la femme. Pour la persuader de l'efficacité de ce chiffon, il se propose de tout salir pour ensuite tout nettoyer. A-t-on déjà vu un homme proposer de tout salir pour ensuite tout nettoyer ? Ce renversement de situation semble procurer un infini plaisir à la femme car lorsqu'il renverse, expressément, de la confiture de fraises sur le parquet, elle pousse des cris sur lesquels je m'interroge. En réalité, on dirait qu'elle jouit, qu'elle se meurt. Quand il dit : « Et maintenant, de la mayonnaise ! » elle s'écrie : « Oh ! nooooon ! » comme s'il lui disait : « Et maintenant par derrière ! » Et quand il annonce : « Du cirage sur le fauteuil », elle défaille, elle n'a plus de voix, elle n'a plus de force pour l'en empêcher. Le plaisir l'étreint si fort que je ne peux croire qu'il provienne seulement du viol des règles domestiques : c'est aussi parce que c'est un homme qui va tout nettoyer.

Hélas pour elle, il le fait sans effort car sa serviette était magique. Que fait ce chiffon ? Il nettoie tout sans aucun produit. Oui, cette jeune femme peut jeter tous les produits de ses armoires : ils n'ont plus d'usage. Comment ? Comment est-ce possible ? À cause des fibres étoilées qui éliminent 85 % des bactéries. Personne n'y avait pensé mais maintenant c'est fait, il suffisait que les fibres soient étoilées pour ranger à la poubelle l'eau de Javel, Monsieur Propre, le Lysol, le savon, les détergents et les aspirateurs : les fibres étoilées, nous dit-on, enlèvent les poussières là où elles se cachent (on dirait qu'elles les sentent) et nettoient absolument tout : les murs, le sol, le plafond, les fenêtres, la voiture, j'en oublie. Mais le mieux, c'est que cette offre incroyable n'est pas disponible dans les magasins.

Ne faudrait-il pas saisir la Cour suprême ? Comment, dans ce pays béni où les soins médicaux sont ouverts à tous, peut-on réserver les fibres étoilées à certains ? Que vont faire les autres alors ? Il faut les avertir, leur prêter un téléviseur, faire un plan starmog pour les familles, enfin il faut faire quelque chose.

Car non seulement il est ainsi devenu facile de nettoyer sans frotter et sans détergent grâce aux fibres étoilées, mais il est aussi facile de les payer. Le Monsieur nous dit qu'on peut se procurer la starmog pour un paiement facile de 49,95 dollars. Qu'est-ce qu'un paiement facile ? C'est un paiement rapide : et si l'on paie dans les quinze minutes, on recevra, outre la starmog, une deuxième de plus petite taille, une troisième qui lui ressemble, un boîtier pour les ranger, douze paires de gants. Mais il faut appeler le numéro qui clignote dans les quinze minutes, ne pas remettre au lendemain ce qu'on peut faire aujourd'hui, ni à tantôt ce qu'il faut faire de suite. Car bientôt nous ne serons que poussière.

Et qui nous ramassera ?

Leçon de survie

Le Chiffon Doré Inc. offre un service de femmes de ménage hebdomadaire, bimensuel ou occasionnel *(325-0825)* de même que **La Grande Vadrouille** *(341-0443)*. Pour faire des connaissances, on peut aussi consulter les « babillards » des magasins de photocopies et des cafés fréquentés par des étudiants.

Lavorama : *5872 rue Clifton (489-7701)* vient chercher le linge sale, le lave et le rapporte.

Buanderie Net-Net : *310 rue Duluth E. (844-8511)* le fait aussi mais il faut un minimum de 20 kg de linge.

Buanderie Du Parc : *346 av. du Parc (844-4648)* pour 7,50 $ par machine, des étudiants (pour la plupart) lavent, sèchent et plient votre linge. Lavent surtout en anglais.

Buanderie Mousse Café, une buanderie dans un café : *2522 rue Beaubien E. (376-8265)*.

Lave-Express est la laverie la plus hot de Montréal : *1376 rue Ontario E.* **Le savon, le café et l'eau de Javel sont gratuits**. Pour quelques dollars de plus, c'est la patronne qui s'en occupe. Mais surtout, on peut y jouer en couple à Packman. Cet ancêtre de tous nos jeux vidéo mérite le détour, sinon le voyage. Ce qui est super, c'est le design du lieu : il n'y en a aucun.

Immigrer

Fraîchement débarqué...

À Luciano

C'était sous Ceaucescu. Virgil avait décidé de fuir le pays à n'importe quel prix mais il dit aujourd'hui que s'il l'avait connu, il ne l'aurait pas payé, ce prix. S'il avait su, d'abord, que pour passer de l'Est à l'Ouest, il aurait du se glisser sous un wagon et y perdre quasiment l'ouïe; que pour passer d'Allemagne de l'Ouest en France, il faudrait, parce qu'il n'avait pas d'argent pour payer le billet, se cacher dans une cuve qui s'est écroulée au premier contrôle, courir dans les wagons, s'échapper comme un criminel : mais ça, dit-il, ce n'est encore rien.

Ce n'est encore rien, en effet. Il décide de partir au Canada. Je dis aux Canadiens d'écouter cette histoire. Mais il n'a aucun passeport; il n'a presque pas d'argent. Prendre l'avion ? Rêve de riche. Le bateau ? Impossible. Que fait-il ? Avec d'autres compatriotes, il s'abrite dans un container qui doit partir sur un paquebot à Montréal. Ils sont une douzaine à se glisser, avec quelques provisions de chocolat et d'eau, dans un container de dix mètres de long, qu'on hissera sur le bateau dans quinze jours. Oui, dans quinze jours. Il faut vivre dans ce container pendant quinze jours.

« Un matin, ils ont soulevé le container et l'ont embarqué. C'était un équipage russe. La traversée a commencé. On savait que s'ils nous trouvaient, ils préféreraient nous jeter à la mer que de payer aux autorités canadiennes les amendes pour passagers clandestins, alors on ne bougeait pas, on attendait l'arrivée. On priait.

Mais il y a eu soudainement la tempête. Comme notre container était à l'arrière du bateau et n'était pas bien attaché, je l'entendais grincer et bouger avec les vagues. Je nous voyais déjà tomber du bateau, couler dans notre container entre l'Europe et le Canada. J'ai décidé que c'était trop dangereux. Il fallait sortir. Peut-être qu'ils nous tueraient. Mais j'en tuerais avant. Je pensais : celui qui voudra me tuer, je lui mordrai la gorge comme un chien, et je l'entraînerai avec moi. »

Ils sortent un à un et, par bonheur dirait-on s'il ne s'agissait pas d'humanité, on les épargne; les Russes les remettent aux autorités canadiennes qui les menottent. Cela leur semble des gants de velours. On les nourrit, on les loge. Ils demandent l'asile politique. Un avocat s'occupe de Virgil. Il lui faut ensuite travailler pendant deux ans pour payer des honoraires de vingt-cinq mille dollars. Aujourd'hui il a tout payé. Il est libre. Il est plombier. Il est Canadien. Il m'a appris ce qu'émigrer veut dire.

Engagez-vous qu'ils disaient : la vérité sur l'immigration

Fraîchement débarqué...

À Christine

Tout Européen a l'intime certitude qu'il est attendu en Amérique du Nord pour donner aux indigènes diverses leçons sur la culture, l'amour et la manière de se tenir à table. C'est à peine, en fait, s'il ne s'étonne qu'on ne l'arrête à Dorval pour lui demander : « D'où vous vient cette exquise démarche ? » Chacun, d'ailleurs, selon sa nationalité : le Français vient apprendre au monde comment devrait tourner le monde, le Suisse comment il devrait économiser et le Belge comment rester pratique. Bref, de Dorval, tout ce petit monde retombe de haut quand la question devient : « Comment gagne-t-on sa vie maintenant qu'on est résident permanent et que Maman est loin ? »

À vrai dire, la réponse à cette question est simplement : « Trouve-toi un job. » comme ont fait tous les émigrants depuis l'invention de l'âne, mais non : le Français demande s'il n'y aurait pas moyen d'être président de quelque chose, le Suisse s'il ne pourrait pas ouvrir un restaurant de fondue, et le Belge songe à faire des gaufres. Seulement, on leur réclame aussitôt des références. Des références ? Mais, mon brave, en voici : mon oncle présidait l'automobile-club, ma tante était serveuse et mon père a lui-même inventé la gaufre. Nous montrons nos diplômes, nos CV, nos recommandations pour s'apercevoir au bout du compte des refus, qu'on nous demandait en réalité une expérience québécoise. Quoi ? Qu'entends-je ? Nous venons tout vous donner, partager avec vous ce que la civilisation post-mésopotamienne a fait de mieux en trois millénaires d'existence alors que vous n'en avez pas un, et vous venez nous demander une expérience *québécoise* ? Mais quand Einstein a émigré aux États-Unis, lui a-t-on demandé sa calculette ?

Il y en a que cela noie dans la Molson (qui est belge). En regardant le fond de leur verre, qu'ils font subitement rimer avec hi-ver, ils se demandent ce qu'ils sont venus faire ici. Il fait froid, les Québécois ont l'accent québécois et finalement il y avait quelqu'un en Europe avec qui ils auraient pu vivre une grande histoire d'amour. Tout ça à cause de quoi ? À cause de qui sont-ils ici en train de se dessécher alors qu'une splendide blonde, qu'un demi-dieu à moitié nu, les attend à Paris, Bruxelles ou Genève, les lèvres humides de désir ? À cause d'Immigration Canada. Oui c'est eux qui les ont forcés à venir près du cinquantième parallèle alors qu'ils allaient enfin exploser professionnellement, construire un foyer avec quelqu'un aux lèvres humides de désir, réussir leur vie et mériter ce qu'ils valent. À cause d'eux que maintenant ils sont dans le grand Nord à boire une bière qui n'est même pas faite en Belgique, tout en devant calculer combien font 15 % de taxes sur 5 pintes. Ces gens sont des escrocs, des dangereux, des irresponsables. Et ces fiers descendants de Jacques Cartier n'ont qu'un mot pour conclure : « Garçon, un billet pour Paris ! »

Leçon de survie

Entre 1991 et 2001, le Québec a accueilli **250 000 immigrés**. Le Canada en a accueilli 1,8 million.

Près de **70%** des Français immigrés s'installent à Montréal (**10%** à Québec). Ils ont majoritairement 25 à 44 ans et sont indépendants.

Il y a également des chances qu'ils soient **divorcés** car, selon les psychologues, peu de couples résistent à l'immigration. Soit parce qu'elle entraîne l'isolement, soit parce que les couples ont émigré à cause des problèmes qu'ils avaient dans leur couple, soit les deux, enfin bref, à la fin, l'objet de ce Guide n'est pas de mentionner toutes les causes du divorce.

Il faut à peu près **un an** pour être reçu résident permanent. Il en coûte un minimum de **2500 $**.

La plupart des **avocats** sérieux recommandent de se passer d'eux pour les cas d'immigration non problématiques (pas de casier judiciaire, pas de maladie grave).

La plupart des immigrés sérieux recommandent de se passer de **conseillers en immigration** et spécialement de ceux qui se disent honorés de vous demander seulement 5000 $

pour vous aider. Se méfier particulièrement des agences qui ont des tas de noms et d'adresses différents… mais le même numéro de téléphone.

Aucun conseiller en immigration ne recommande ne se passer de lui.

Certains immigrés disent : la première année c'est l'euphorie, la deuxième la débâcle et la troisième la conclusion : on reste ou on repart.

On estime en moyenne qu'il faut deux ans à un immigré européen pour retrouver le **niveau de vie** qu'il connaissait en Europe.

À partir du **31 décembre 2003**, les résidents permanents devront se munir d'une carte de résident permanent pour rentrer au Canada. Infos et trousse de demande *(1-800-255-4541)* *www.cic.gc.ca.*

PAGES PERSONNELLES TRAITANT DE L'IMMIGRATION AU QUÉBEC

Consulter le forum de
www.immigrer-quebec.com

Un Français
pages.infinit.net/jcgiorgi/quebec

Un Suisse
www.nal.qc.ca/do/immig/

Un Belge
circus-net.info/quebec

ILS VOUS AIDERONT (RECHERCHES D'EMPLOI, INFORMATIONS JURIDIQUES, ETC.)

Accueil liaison pour arrivants
(255-3900)

Association Belgique-Canada *(453-9411)*

Union Française : *429 rue Viger E., Montréal H2L 2N9 (845-5195)*

Union Francophone des Belges à l'étranger *(485-1799)*
www.ufbe.be

La Maisonnée : *6865 av. Christophe-Colomb, Montréal H2S 2H3 (271-3533)*

Hirondelle, organisme d'aide aux nouveaux arrivants : *4652 rue Jeanne-Mance, 2ᵉ étage, Montréal H2V 4J4 (281-5696)*

Centre des femmes de Montréal : *3585 rue St-Urbain, Montréal H2X 2N6 (842-6652)*

Montréal Accueil c/o Consulat Général de France : *1 Place Ville-Marie, bureau 2601, Montréal H3B 4S3*

Office des migrations internationales (OMI) : *1550 rue Metcalfe, Montréal H3A 1X6 (987-1756)*

Objectif Québec, organisation privée créée par des Français installés à Montréal, réunion hebdomadaire entre francophones émigrants : *BP 44616, CP Barclay, Montréal H3S 2W6* *www.objectifquebec.org*

CSAI (Centre social d'aide aux immigrants) : *4285 bd de Maisonneuve O., Montréal H3Z 1K7 (932-2953)*

Ministère des Communautés Culturelles (c'est nous) : *415 rue St-Roch (864-9191)*

Sur le Net

www.jobboom.com
www.french.monster.ca

Écologie

Fraîchement débarqué...

À Mathilde

Mon grand-oncle, retraité de la « Royale », c'est-à-dire de la marine française, refusait toujours le fromage, au désespoir de sa servante. Les invités s'extasiaient, mais lui n'en voulait plus. « On a tué le camembert » affirmait-il avec un air désespéré, en regardant les prés de son château de Touraine. Il trouvait, dans les années 1970, que le camembert n'avait plus de goût : qu'aurait-il dit aujourd'hui ?

Que c'est nous qui n'avons plus de goût... Juste Ciel ! Comment peut-on appeler « fromages » ces pâtes blanchâtres qui ont toutes une saveur égale, c'est-à-dire nulle, quel que soit le nom qu'on leur donne. Quel est exactement le goût de la mozzarella ? Du cheddar ? Du brie ? De je ne sais quelle pâte des Moines qu'aucun moine n'a jamais effleurée ? Ces fromages sont si réglementés, légiférés, décrétés qu'ils n'ont plus aucune constitution et qu'ils n'ont plus même d'odeur. Leur différence se limite à leur forme. Ils ont beau se présenter comme « le fromage de chez nous », ils sont de nulle part parce qu'ils doivent être consommés partout.

On dirait que les Américains, qui ont fait de leur absence de goût la norme de la planète, ont imposé à tout fromage cet ordre qu'ils donnent à leurs femmes : soyez belles mais soyez clean. Comme ils voulaient manger ailleurs ce qu'ils mangeaient chez eux, ils ont décidé que le fromage était de la moisissure et le MacDonald excellent pour la santé.

Les fromages sont, certes, les premières victimes de cette domination du goût par les incultes. Mais les tomates ! Mais les pommes et les poires ! Mais les salades, les pommes de terre ! Elles sont belles et fades, on dirait qu'elles sont siliconées : oui, on dirait des Américaines. Comme on modifie maintenant le corps des femmes, parce qu'il rapporte plus d'argent quand il est plus beau, on change la saveur de mes poires : les mêmes causes donnant les mêmes résultats, leur chair est triste et utilitaire, à toutes deux. Et le beurre ? Et le lait ? Plus aucun de ces aliments n'a le goût de son nom. Quand je les vois dans les grands magasins, j'ai envie de crier à l'imposture car on me trompe. Ou d'écrire, sous une pomme : ceci n'est pas une pomme.

Que fait le Québec ? Que fait ce pays dédié plus qu'aucun autre à la nature ? Nous vend-il des produits « naturels » ? J'aurais aimé. Mais il faut reconnaître que, pour la plupart, ses porcs sont aussi maltraités que des enfants asiatiques et ses fruits sont gonflés d'eau, j'allais dire de larmes. Il produit, comme tous les autres, il « crée des emplois » en détruisant sa culture. Il est tombé dans cette grande marmite internationale dont la cuisinière, voulant contenter le plus grand nombre, a ôté le piment parce qu'il déplaît aux « caucasiens », la noix de muscade parce qu'elle ne plaît pas aux « Afro-Américains », le sel parce qu'il nuit aux cardiaques et le goût parce qu'il pourrait alimenter des procès.

À côté, il y a ce Québec qui se bat pour ses fraises au goût de fraise, ses pommes moins rouges mais plus goûteuses, ses produits « organiques ». C'est la lutte entre la culture et l'argent. Qui va gagner ? En général, c'est l'argent. Les commerçants prétendent qu'ils offriraient de tels produits en masse s'il y avait une demande. Je les crois volontiers, ils sont toujours prêts à vendre plus. Mais comment pourrait-on demander un produit qu'on ne connaît pas, je veux dire une poire qui a le goût d'une poire ? Enfant, l'on m'avait appris à reconnaître une poire Williams d'une Bon-Chrétien : si j'en voulais chez Provigo, on croirait que je me moque du premier ministre.

En France, certains enfants à qui l'on avait demandé de dessiner un poisson, dessinaient un bâtonnet de morue surgelé. Mais Ottawa en a fait un fromage. En 1996, la capitale a voulu interdire le fromage au lait cru mais le Québec l'en a empêché. Bravo à tous. Mon Dieu ! Si le Québec ne s'élève pas contre les États-Unis, qui le fera, en Europe ? La francophonie est peut-être une affaire de langue : mais avant tout, c'est une affaire de goût.

Leçon de survie

Les **pommes** vendues dans les grandes surfaces sont « cirées » pour paraître plus brillantes.

Le Québec est à la pointe des **biotechnologies**. Une société québécoise a réussi à introduire des gênes d'araignée dans des moutons pour qu'ils produisent dans leur lait de grandes quantités de toile d'araignée. Ceci permettra de fabriquer des emballages type plastique en lait de mouton élastique que l'on pourra manger.

Il existe une quarantaine de **fromages** fabriqués au Québec (pas tous avec du mouton).

Jean Soulard (l'un des chefs les plus réputés du Québec) déclare, quoique Français, qu'il achète tous ses produits au Québec (y compris les fromages).

Le gouvernement fédéral a refusé d'imposer l'étiquetage des produits contenants des **OGM**.

Le gouvernement fédéral n'a jamais imposé d'appellation stricte sur les conditions **d'élevage du poulet** (car les éleveurs sont une espèce très protégée dans le monde). Tout ce qui est écrit sur l'emballage relève de la publicité plus que de la chimie. C'est ainsi qu'on peut trouver des « arômes naturels issus de concentrés artificiels ».

Mais il y a un petit poulet dit **« poulet des Cornouailles »** qui a le vrai goût du poulet et qu'on trouve parfois dans les Provigo.

Il y a quelque chose de déprimant à annoncer qu'on a trouvé quelque part un poulet qui a le goût du poulet.

Le **poisson** n'est pas plus sûr que les cochons. En ce qui concerne le saumon, par exemple, des imbéciles ont trouvé le moyen d'en faire l'élevage. À part le « saumon de l'Atlantique », nous en sommes donc réduits à manger les poisons qu'ils ingurgitent. En 2001, la Fondation David Suzuki de Vancouver a révélé que le saumon d'élevage contient au moins dix fois plus de biphényles polychlorés et de pesticides que le saumon sauvage. Ces polluants proviennent de l'alimentation (des farines animales) donnée à ces pauvres animaux : farine, huile de poisson, farine de soya, gluten de maïs, sous-produits de volaille et farine de plumes. Les Européens donnaient des moutons à manger à leurs vaches et les Canadiens nourrissent leurs poissons avec des plumes : il y a des jours où l'on regrette qu'aucun animal n'ait signé la Convention internationale des droits de l'Homme.

Le Tartarin : *4675 rue St-Denis (281-8579)* est un restaurant tenu par un ancien boucher qui ne supporte ni les viandes congelées, ni la dioxine, les pesticides, les antibiotiques et les OGM. La preuve ? Il ne sert ni bœuf ni cochon « jusqu'à ce qu'on ait fait la preuve que ces bêtes sont élevées dans des conditions salubres » dixit Robert Beauchemin, critique gastronomique de *Voir*.

 Pourquoi ne pas cultiver ses propres légumes ? Pour les épices, une terrasse suffit; pour tout le reste il suffit de se **louer un « jardinet »** à la Ville de Montréal. Ça coûte 10 $ pour la saison *(873-2111)*.

On peut se procurer des semences naturelles, non traitées et particulièrement adaptées au climat au **Semencier du patrimoine** *(905-0353)*.

Le Maître Gourmet est une boucherie bio bien connue à Montréal : *1520 av. Laurier E. (524-2044)*.

La viande fumée traditionnelle « préparée avec notre recette secrète d'herbes et d'épices » se mange à la charcuterie hébraïque **Schwartz** : *3895 bd St-Laurent*. Il semble que le décor n'ait pas changé depuis la date de l'ouverture en 1931. C'est laid, froid et déprimant mais on y fait la file depuis 70 ans. Il doit y avoir une raison. Le sandwich de viande fumée y coûte 4,25 $. On peut y rencontrer Céline Dion (on peut aussi la voir dans *Écho Vedette*, *Allo Vedette*, *Flash*, *Le Journal de Montréal*, *La Presse*, *7 jours*, *L'Actualité…*)

Nature

Fraîchement débarqué...

À Nathalie

Si les Américains pouvaient mettre l'amour en boîte, ils l'achèteraient en France et le revendraient au Japon. En attendant, ils se proposent d'acheter l'eau de vos lacs. J'en ai vu un, l'autre jour, avec son hydravion posé quelques mètres derrière lui. Quand on lui demandait ce qu'il faisait là, il répondait simplement qu'il allait vider le lac, avec cet air d'évidence qu'ont les milliardaires devant les tâches impossibles.

Quand je dis vider le lac, je minimise car en même temps, il allait évidemment tuer quelques milliers de poissons, quelques millions d'insectes, perturber pour toujours un écosystème qui a peut-être vingt mille ans : détails que tout cela.

Bien entendu la première question de notre Américain fut de savoir à qui s'adresser car les milliardaires pensent que tout a un propriétaire, attendu qu'ils sont eux-mêmes possédés par l'argent. C'était une bonne question. Chez qui faut-il sonner en effet pour négocier non pas le lac, mais son contenu ? Il me semble que les propriétaires naturels de cet espace sont ceux qui y habitent. Mais les poissons n'auraient jamais été d'accord et notre Américain aurait dû faire comme ses ancêtres avec les Indiens, exterminer les trois quarts et placer les autres en aquarium. Il aurait aussi pu s'adresser à Dieu mais il préféra Jean Chrétien. Je m'imagine la surprise de ce dernier qui ne savait pas que c'était achetable. Mais il paraît qu'il réfléchit. Je ne savais pas que c'était réfléchissable. Il se demande, je suppose, si cette opération serait « créatrice d'emplois » car aujourd'hui on tuerait bien les vieux pour procurer aux jeunes l'emploi de les enterrer. Quoi qu'il en soit, si le Canada vend l'eau de ses lacs, je le quitte. On dira que cela ne fait rien; mais je boycotterais l'Amérique aussi. On continuera que cela ne changera pas grand chose; mais je le ferais quand même. J'irais dire à l'Europe, le Canada n'est plus, ses érables ont le goût du pétrole qu'on met dans les tronçonneuses pour les fendre, sa neige est carbonique et ses trappeurs sont morts; il n'y a plus de nature au Canada. Et les Européens diront : si le Canada n'a plus de nature, nous n'avons plus d'espoir, nous n'avons plus de poumons. Mais je leur répondrais : c'est bien pire. Quand le Canada n'aura plus de nature, c'est que les hommes n'auront plus de cœur.

Leçon de survie

L'EAU

L'eau potable de Montréal vient du **fleuve Saint-Laurent** près des rapides de Lachine. Montréal produit quotidiennement **1 800 000 m³ d'eau**.

Il y a très peu de marques **d'eaux minérales**, comparativement à la France et peu d'eau gazeuse canadienne naturelle à part la **Montclair**. On trouve évidemment du Perrier (hors de prix comme partout ailleurs) mais peu de Badoit, de Spa, etc.

Au bar à eau de l'**Exos** : *365 rue Émery (842-3967)*, on peut goûter l'Eau de Saint-Justin, une des rares eaux pétillantes du cru, légèrement salée, légèrement chère.

Les **lacs** occupent **16%** de la surface du Québec.

Il y a **405 000 lacs** au Québec. Il y en a deux millions au Canada et assez d'eau pour submerger toute la superficie du pays sous plus de deux mètres.

Utilisez des détergents **sans phosphate**.

Une des eaux les plus pures du monde se trouve à **Amos**, dans l'Abitibi-Temiscamingue.

LES ANIMAUX

Les Montréalais n'aiment pas trop les **écureuils** que les Européens adorent et que les trappeurs mangeaient.

Il y a pas mal de **putois** (« mouffettes ») autour de la ville.

L'odeur d'un putois se sent à cinq cents mètres à la ronde et aucune douche, aucun savon ne l'enlève. La seule solution, si vous sentez le putois : prendre un bain de jus de tomate. Bizarre mais efficace.

Que faire si vous rencontrez un ours ?

Foutez le camp (lentement).

Chantez.

Ne grimpez pas à un arbre.

Si vous êtes néanmoins actuellement sur un arbre, appelez le *1-800-463-2191* (ligne ouverte 24 h/24).

S'il vous agresse, le gouvernement recommande de faire de grands gestes tout en gardant le contact visuel. Pour le téléphone du Premier Ministre : *411*. Ce s'ra pas long.

Heu-reux !

Fraîchement débarqué...

À Saber

Si le cinéma est utile, Denys Arcand est nécessaire. *Les Invasions barbares* ont montré à Cannes que la fréquentation d'un hôpital à Montréal transporte les malades à la fois en Bosnie et en Slovénie ou même en Turquie au lendemain d'un tremblement de terre, mais beaucoup plus lentement vers un médecin. Une telle description a du retenir beaucoup de touristes de venir skier au Mont-Tremblant et peut-être, encourager certains ministres à engager du personnel.

Rien n'est moins sûr cependant.

En effet, les Québécois s'avèrent extrêmement contents de leur système de santé : ils ne doivent attendre en moyenne que douze semaines entre la visite et l'hospitalisation, contre le double en Saskatchewan, par exemple. Bien sûr dans certaines spécialités moins urgentes (radio-oncologie) les délais moyens sont un peu plus longs (7,2 semaines), voire un peu longuets (23,9 semaines pour l'ophtalmologie). Mais aux urgences, c'est beaucoup moins long : une dizaine d'heures au plus, à Montréal, entre le moment où ils arrivent et où on les reçoit (pour autant bien entendu qu'ils arrivent quand les urgences sont ouvertes). Ce qui ajoute à leur bonheur et les réjouit de manière indicible est en outre que les médecins, qui ne se déplacent jamais à domicile, acceptent de le faire quand le malade est mourant et qu'une femme enceinte n'attend jamais plus de neuf mois avant de voir un médecin.

Donc, pourquoi les ministres changeraient-ils quelque chose, je vous le demande ?

Leçon de survie

L'assurance-maladie

(« carte Soleil ») couvre tous les Québécois y compris les résidents permanents et donne accès à la gratuité des soins de santé. Et en plus elle parle : **Carte Parlante** , 24 h/24 *(864-3411)*.

En plus il existe un numéro de téléphone pour se plaindre : **Commissaire aux plaintes des personnes assurées** *(1-888-899-2121)*.

Les **soins dentaires** et la **psychanalyse** ne sont pas couverts par l'assurance. Si votre rage de dents vient justement de votre mère qui vous traumatisait en vous forçant à manger des pommes, désolé, mais il n'y a rien à faire au Québec.

Les médicaments ne sont pas couverts par la carte Soleil. Quoi ? Il faut payer les médicaments icitte ? Non plus, il y a une sorte de mutuelle, c'est très compliqué mais finalement c'est quasiment comme en Europe, on ne paie qu'une partie du prix.

Pour bénéficier d'une **chambre privée** dans un hôpital, il faut payer ou prendre une assurance particulière.

La plupart des Européens hospitalisés au Québec s'étonnent de l'extrême générosité et de la gentillesse du **personnel**, relativement à l'Europe.

QUAND VOUS ÊTES MALADE

Adressez-vous au **Centre local de service communautaire (CLSC)** de votre quartier (bobos bénins) ou à « l'urgence » de la clinique la plus proche avec votre carte Soleil et les œuvres complètes de Marcel Proust.

Urgences dentaires *(937-6011 - ext. 2462)*

Pharmacie 24 h/24 *(527-8827 et 738-8464)*

Ambulance *(911)*

Culture

Fraîchement débarqué...

À *Sophie*

Les Français qui séjournent quinze jours au Québec reviennent à Paris en chantant qu'ils ont découvert la France en Amérique; ceux qui le visitent plus longtemps affirment que c'est l'Amérique en France : mais ceux qui y restent trois mois n'y voient que l'Amérique en français. À la vérité, en effet, le Canada français est moins éloigné de la France que sa culture de la culture française. Et comme plusieurs l'ont constaté, le constatent ou le constateront dans un couple : on peut parler la même langue et rester étrangers l'un à l'autre.

La culture française, dans son essence, tend tout entière vers la délicatesse mais n'atteint parfois que le superficiel et l'éthéré. Le Québec fait l'inverse : la France cultive l'aérien mais le Québec le solide. La France travaille la forme, le Québec s'occupe du fond : aussi les Québécois pensent des Français qu'ils font de grandes phrases pour ne rien dire et les Français, qui y mettent du style, appellent les Québécois des paysans munis d'une carte de crédit. Quoi qu'il en soit de ces injures transatlantiques, le Québécois veut des résultats, non des discours. La France donne les meilleurs parfums, les plus grands stylistes, le savoir-vivre, l'art des bons mots : le Québec est le deuxième producteur mondial d'amiante, le troisième producteur d'aluminium et l'un des plus gros fabricants d'électricité au monde. Bref, le Français adore les idées, et le Québécois le métal. On dit que c'est un latin de Scandinavie, un syndicaliste individualiste, un séparatiste qui ne veut pas divorcer. Chacun exagère et moi aussi. Mais j'ai raison en ceci : c'est que si les Québécois donnaient à la France le goût d'aller au boutte des choses et de pogner; et si la France apportait au Québec l'art de paraître et l'art de vivre, dans une sorte de contre-offensive commune aux États, nous serions tous fiers d'être francophones car nous aurions la culture la plus riche du monde.

Leçon de survie

LES JOURNAUX & LES MAGAZINES

Le Journal de Montréal : journal à sensation et à très gros tirage, très bon supplément week-end et beaucoup de chroniques. Appartient au groupe Québécor.

La Presse : le deuxième journal de Montréal. Journal populaire.

Le Devoir : *Le Monde* en plus austère.

L'Actualité : magazine sérieux, type *Nouvel Obs*.

Châtelaine : type *Cosmo*.

7 Jours : potins de star, genre *Voici*. Appartient à Québécor.

Lundi : potins de star genre *Gala*. Appartient à Québécor.

Écho Vedettes : potins de star. Appartient à Québécor.

Allo Vedettes : potins de star. Appartient à Québécor.

Clin d'oeil : potins de star. Appartient à Québécor.

Ici : hebdomadaire gratuit. Appartient à… euh… Québécor !

Voir : c'est incroyable mais ce journal hebdomadaire gratuit qui ressemblerait à *Libé* s'il était quotidien n'appartient pas à Québécor. Un scandale.

Métro : quotidien gratuit distribué dans les stations de métro.

Protégez-vous : magazine de protection du consommateur, très utile.

Qui fait quoi : magazine et annuaire des intervenants du show-business.

L'itinéraire : est vendu par les itinérants pour 2 $ (dont 1 $ qui leur revient). Ce mensuel est intéressant et les témoignages des itinérants toujours émouvants à lire. L'un des magazines les plus enrichissants du Québec dans tous les sens du terme.

LES THÉÂTRES

La fréquentation des théâtres est en baisse constante à Montréal. Conséquence : ils demandent plus de subventions. Conséquence : la fréquentation des théâtres est en baisse constante à Montréal. Conséquence…

Théâtre d'aujourd'hui (mais peut-être pas de demain) : *3900 rue St-Denis (282-3900)*

Théâtre Jean-Duceppe, un des théâtres de référence à Montréal : *Place des Arts, 175 rue Ste-Catherine 0. (842-2112)*

Théâtre du Nouveau Monde, institution montréalaise : *84 rue Ste-Catherine O. (866-8668)*

Théâtre du Rideau Vert, idem : *4664 rue St-Denis (844-1793)*

Théâtre de Quat'sous : *100 av. des Pins (845-7277)*

 L'Artothèque de Montréal permet à ses membres de louer certaines œuvres d'art pour un minimum de trois mois. Idéal pour faire connaissance avec la production du Québec : ***5720 rue St-André (278-8181)***

LES CINÉMAS

Il faut voir

La CinéRobothèque de l'ONF (Office National du Film du Canada), unique au monde : l'employé qui va chercher le film demandé est un robot. On peut y visionner près de 6000 films pour 3 $ l'heure (donc on peut tout voir pour 36 000 $) : *1564 rue St-Denis (496-6895)* ***www.onf.ca***

Cinémathèque québécoise, films du mardi au dimanche : *335 bd de Maisonneuve E. (842-9768)*

L'Ex-centris, parler à la caissière est une expérience sous-marine, vous comprendrez en la voyant : *3536 bd St-Laurent (847-2206)*

Cinéma Imax *(496-4629)*

Cinéma Paramount (13 salles) : *977 rue Ste Catherine O. (842-5828)*

Phos, films d'auteur en vidéo à louer : *5147 ch. de la Côte-des-Neiges (738-1040)*

QUI EST QUI AU QUÉBEC ?

La plus célèbre chanteuse avant **Céline Dion** était **Mary Travers**, dite **La Bolduc**. À part ça, les stars que vous ne connaissez pas encore sont :

Éric Lapointe : leur Johnny à eux.

Kevin Parent : Maxime Le Cabrel Aufray. J'adore.

Daniel Bélanger : considéré comme une référence de la chanson québécoise.

La Chicane : leur hit est « Misère au calvaire ». D'après ce que j'ai compris, une femme semble être la cause du problème du chanteur. Il avait trop bu la veille et fait de grosses bêtises quand le lendemain, devant le percolateur, il aperçoit soudain sa blonde. Ce type est un héros car avant même qu'elle ouvre la bouche, il lui dit qu'il ne veut pas entendre ses rengaines, mais simplement qu'elle l'aime. On ne saura jamais ce qu'elle a répondu, mais ça devait commencer par : *« toè lô... »*

Wilfred : le staracadémicien.

Le grand écrivain de Montréal est **Michel Tremblay**. Le seul problème est qu'il n'écrit pas en « français international ». On comprend rien pantoute, tabarnak !

Le plus grand peintre de Montréal : **Jean-Paul Riopelle**, décédé en 2002.

Le plus grand coureur automobile vivant : **Jacques Villeneuve** (d'ailleurs il vit à Monaco).

Le **Cirque du Soleil** est né à Charlevoix et gagne maintenant sa vie un peu partout dans le monde, dont Las Vegas. Emploie 2000 personnes, réalise plus de 400 millions de dollars de chiffre d'affaires par an. Son fondateur : **Guy Laliberté**.

Le réalisateur le plus connu : **Denys Arcand** *(Le déclin de l'empire américain, Les Invasions Barbares)*.

L'humoriste le plus accessible pour un Européen : **Guy « A » Lepage**. Pourquoi ce A ? A cune idée.

Le Québec investit des dizaines de millions de dollars dans la mode. L'un des couturiers les plus doués est **Yves-Jean Lacasse** tandis que les manteaux les plus portés sont ceux de **Kanuk**.

La parfumière du Québec s'appelle **Lise Watier**. Sa création la plus connue : *Neiges*.

ACHETER DES DISQUES

Franco Phonies : *3883 rue St-Denis (843-8812)*, le spécialiste de la musique francophone. Importe de très nombreux disques de France et offre l'éventail le plus complet de musique française à Montréal en CD et vinyl.

Archambault : *500 rue Ste-Catherine E. (849-6201)*

HMV : *1020 rue Ste-Catherine O. (875-0765)*

VOUS NE SAVIEZ PAS QU'ILS ÉTAIENT CANADIENS

Paul Anka
Pamela Anderson
Jim Carrey
Léonard Cohen

Glenn Gould
Alanis Morissette
Michaël J. Fox
Oscar Peterson

VOUS CROYIEZ QU'ILS ÉTAIENT QUÉBÉCOIS

Roch Voisine vient du Nouveau Brunswick.
Lara Fabian vient de Namur (Belgique).
Daniel Lavoie vient du Manitoba.
Ultramar, **Du Maurier**, **Canada Dry** sont américains ou britanniques.

PRINCIPALS FESTIVAUX

Festival international de l'Auto de Montréal *(331-6571)*

La Fête des Neiges *(872-4537)*

Les rendez-vous du cinéma québécois *(252-3021)*

Festival Montréal en Lumières *(288-9955)*

Festival International du Film sur l'art *(874-1637)*

Festival des oiseaux de Montréal *(863-3000)*

Grand Prix Air Canada *(350-0000)*

Mondial de la Bière *(722-9640)*

Fête Nationale du Québec
(849-2560)

**Festival international de
Lanaudière** *(450-759-7636)*

Juillet
**Festival international de Jazz
de Montréal** *(871-1881)*
www.montrealjazzfest.com
Festival Juste pour rire
(790-4242) www.hahaha.com

**Festival International Nuits
d'Afrique** *(499-9239)*

FrancoFolies de Montréal
(876-8989)

**Célébration de la Fierté Gaie
et Lesbienne** *(285-4011)*

Masters de Tennis du Canada
(273-1515)

**Festiblues international de
Montréal** *(377-8425)*

**Compétition internationale de
châteaux de sable,** *parc
Lafontaine (522-2552)*

Août-septembre
**Festival des Films du Monde de
Montréal** *(848-3883)*
www.ffm-montreal.org/

Omnium Canadien Bell
(1-800-571-OPEN)

Octobre
**Festival international de
nouvelle danse** *(287-1423)*
www.festivalnouvelledanse.ca/

Coup de cœur francophone
(253-3024)

Guide de la déprime à Montréal : les endroits à voir

Leçon de survie

Les restaurants **Tim Hortons**

Les restaurants **La Belle Province**

Le dernier album de **Ginette (Reno)**

La robe dans laquelle se trouve Ginette quand elle interprète son dernier album

Un Tim Hortons en écoutant le **dernier album** de Ginette tout en regardant la robe qu'elle porte

L'adresse Internet du festival Juste pour rire (*www.hahaha.com*)

La publicité de la bijouterie **Farrah**

La **vitrine** du restaurant **Schwartz** (des morceaux de clients séchés) : *3895 bd St-Laurent*

Les silos à grains du Vieux-Port. Ils ne servent plus à rien mais on les garde parce qu'ils font partie du patrimoine. L'immeuble de la Cité aussi, sans doute.

Ils peuvent vous aider

Leçon de survie

Association des dépressifs et des maniacodépressifs *(529-5619)* (en voie de fusion avec l'Association des professionnels de l'industrie de l'humour)

Fédération des Femmes du Québec *(876-0166)*

Association de suicidologie (mais il n'y a jamais personne qui répond au téléphone, c'est bizarre)

Association des parents d'enfants prématurés du Québec (téléphoner avant cinq heures du matin)

Association québécoise des personnes de petite taille *521-9671*

Association des Pères Noël de la Province de Québec *(526-2847)*

Association des Sceptiques du Québec (je ne suis pas moi-même sûr de leur adresse)

Comité québécois pour la reconnaissance des droits des travailleurs haïtiens en République Dominicaine (les appeler en Belgique)

Fédération québécoise des professeures & professeurs d'Université (chercher le numéro dans la nuaire)

Fondation canadienne des Rêves d'enfants *(289-1777)* réalise des rêves d'enfants

Association des popotes roulantes Montréal Métropolitain *(937-4798)*

Cocaïnomanes anonymes *(527-9999)*

Centre du ronflement *(327-5060)*

Outremangeurs anonymes, *(490-1939)* téléphoner aux heures des repas

Qui a eu cette idée folle ?

Fraîchement débarqué...

À *Cathy-lou et Lolita*

Et puis il y a les chères têtes blondes.

Tout naturellement, l'anxiété de la petite émigrante se concentre sur le haut lieu de ses tourments; cette fois, elle a la prime d'être nouvelle et différente. Elle a déjà entendu que gosse, ici, a une autre signification. Elle a vu ses parents se débattre avec la notion de commission scolaire, secteur géographique dont l'obscur critère découpe la Ville en deux commissions, celle de Montréal et celle de Marguerite-Bourgeoys. Elle les a observés compléter soigneusement les dossiers d'inscription, rassembler hâtivement ses bulletins précédents, vérifier fébrilement que son carnet de vaccinations est à jour – pas encore une piqûre, hein maman -.

Il y a de bonnes nouvelles : l'école finit à quinze heures; et de moins bonnes : il y a école les cinq jours de la semaine. Ses parents lui cachent lâchement que le calendrier scolaire québécois compte environ une vingtaine de jours de vacances par an de moins qu'en France. Il y a des choses amusantes comme de s'équiper de l'indispensable boîte à lunch et des Ziplocs; et d'autres plus embarrassantes qui, le pressent-elle, vont la « rendre toute mêlée » : les cartables sont maintenant les classeurs qui sont les chemises. Son étui à crayons se remplit d'aiguisoir, d'efface et de tape, et son sac d'école se charge de cahiers Canada et de feuilles lignées serrées dans des duo tang.

Le grand jour est arrivé, elle le vit vêtue de neuf, c'est pareil partout. Elle cherche sa classe - tu entres en troisième, ici les classes vont en montant, tu t'en souviendras ? - elle la trouve enfin, on la présente à des visages curieux et souriants - assois-toi là ma chouette - elle se détend un peu, le professeur commence à parler, et voilà, elle ne comprend plus rien et ne peut pourtant pas l'avouer.

Les enfants partagent universellement le même talent : il faudra moins de deux semaines pour que ce soit elle qui explique le Québec à ses parents.

· *Christine Ouin*

Leçon de survie

LE PRIMAIRE ET LE SECONDAIRE

Au Québec, l'école est obligatoire pour tous les enfants de six à seize ans. Aux termes de la Loi sur le ministère de l'Éducation, les parents ont le droit de choisir les établissements qui, selon leurs convictions, assurent le mieux le respect des droits de leurs enfants. Dans la pratique, ceux-ci sont reçus à l'école de leur secteur géographique de résidence – les commissions scolaires - sauf dérogation.

La même loi stipule que les enfants ont le droit de recevoir l'enseignement dans la langue de leur choix (français ou anglais). Au Québec, 80 % des enfants sont scolarisés en français.
L'enseignement de l'autre langue est obligatoire dès la première année.

Le service éducatif public est gratuit. 92 % des enfants du Québec sont scolarisés dans les écoles publiques. La plupart des écoles offre une année de préscolarité pour les enfants à partir de cinq ans. Pour les plus petits, il existe des garderies publiques, semi-publiques et privées, qui pratiquent un tarif de 5 $ par jour. Le plus souvent, il faut inscrire l'enfant sur une liste d'attente avant d'obtenir une place pour lui.

En général, les écoles privées sont subventionnées par l'État et le coût de la scolarité varie de 1 000 à 4 000 $ par an, en fonction des services et activités parascolaires proposés par ces établissements. Les écoles privées imposent souvent le port d'un uniforme rarement seyant et toujours dispendieux.

L'enseignement est divisé en enseignement primaire qui dure six années et en enseignement secondaire de cinq années. Il y a ensuite deux années d'enseignement collégial dans les cégeps (ça veut dire collège d'enseignement général et professionnel) qui doivent être achevées pour entrer à l'université.

Enfin, il existe à Montréal trois établissements relevant du gouvernement français principalement destinés aux enfants des expatriés.

Commission scolaire de Montréal

Il en existe cinq, dont deux anglophones : *www.csim.qc.ca/*.

Commission scolaire Marguerite-Bourgeoys : *1100 bd Côte-Vertu, Ville Saint-Laurent H4L 4V1 (367-8700)*

Commission scolaire de Montréal : *3737 rue Sherbrooke E., Montréal H1X 3B3 (596-6000)*

Commission scolaire de la Pointe-de-l'Île, *550 53ᵉ Avenue, Montréal H1A 2T7 (642-9520)*

Fédération des établissements d'enseignement privés (FEEP) : *1940 bd Henri- Bourassa E. (381-8891) www.feep.qc.ca*
À noter qu'à la même adresse et au même numéro de téléphone, on trouve l'ACPQ, soit l'Association des collèges privés subventionnés du Québec.

Écoles relevant du gouvernement français et enseignant le programme obligatoire de la République :

Collège Marie de France : *4635 ch. Queen Mary (737-1177)*

Collège Stanislas : *780 rue Dollard (273-9521)* *www.stanislas.qc.ca*

Collège Français : *185, av. Fairmount O. (495-2581)* *www.collegefrancais.ca*

L'UNIVERSITÉ

Il faut être universitaire pour comprendre :

• Le système est basé sur les « crédits » (les matières) et les cycles. Bien entendu, plus il y a de crédits, plus c'est long.

• Le nombre de crédits cumulés donne droit au « certificat » (30 crédits, 2 trimestres), au « diplôme » (60 crédits, 4 trimestres) ou au « baccalauréat »

(90 crédits minimum), lequel peut être « spécialisé », « honours », avec « majeure et mineure » ou « multidisciplinaire ».

• Pendant tout ce temps, la plupart des étudiants se spécialisent aussi en centres d'appels, au MacDo ou au Casino de Montréal pour payer leurs études.

Équivalence des diplômes

- En ce qui concerne les étudiants, l'équivalence est étudiée par l'école ou l'université à laquelle on veut s'inscrire. Pour le primaire et le secondaire, on prend en compte l'âge et le dossier individuel.

- En ce qui concerne le marché de l'emploi, le Service des équivalences donne un avis consultatif d'équivalence.

- Un accord intergouvernemental a été conclu entre le Québec et la France (mais non la Belgique ni la Suisse) établissant les équivalences suivantes :

FRANCE	QUÉBEC
Bac	Dec
Licence	Baccalauréat
DEA, DESS	Maîtrise
Doctorat	Doctorat

Ministère de l'éducation, Direction régionale de Montréal : *500 rue Fullum, 10ᵉ étage, Montréal H2K 4L1 (873-4630)* **www.meq.gouv.qc.ca**

Service des équivalences, Direction des équivalences et de l'administration des ententes de sécurité sociale, Immigration Québec : *360 rue McGill, Montréal H2Y 2E9 (873-5647, fax : 873-8701)* **equivalences@immq.gouv.qc.ca**

Évaluation payante

Centre d'information canadien sur les Diplômes internationaux : *252 rue Bloor O. Toronto, Ontario, M5S 1V5 (1-416-964-1777, fax :1-416-964-2296)*

Immigrer autrefois

Fraîchement débarqué...

À *Ginette et Willy*

Quand nous sommes arrivés à Montréal en 1950, les Québécois nous reprochaient de venir prendre « la job ». Nous ne nous comprenions pas leur langue, nous ne comprenions pas leur culture. À Montréal, il n'y avait qu'un endroit où l'on pouvait trouver des croissants; il n'y avait pas d'expresso, pas de magasins sur Saint-Denis. Les gens nous regardaient comme des bêtes sauvages parce que nous étions Européens et que nous parlions français. Quand nous sommes arrivés ici, me disent Ginette et Willy, nous avons voulu repartir.

La vie a été très dure pour nous. Nous étions des parias, des immigrés. Rejetés de notre pays, nous l'étions davantage de celui-ci : mais imaginez-vous ce que cela a été pour les Noirs venus d'Haïti ou d'Afrique ! En 1950, les Québécois n'avaient jamais vu une personne de couleur. Ils les traitaient d'une manière que je ne pourrais expliquer sans pleurer, mais j'en pleure déjà alors que je ne l'explique pas encore.

Le Québec était habité par une majorité d'incultes mais tout étranger était, pour eux, un sauvage. Nous, parce que nous étions Européens et snobs alors que nous n'avions rien que nos deux enfants et l'espoir de nous intégrer; eux, à cause de la couleur de leur peau qu'ils identifiaient à celle du diable. Ces gens ne croyaient qu'à leur peur. La peur du voisin plus riche, de la femme plus belle, de la réussite, de la différence. Ils ne lisaient aucun livre, n'écoutaient pas la radio, mangeaient des choses épouvantables mais les mangeaient tous les jours. Ces fils d'immigrants jugeaient les émigrés; ces Blancs qui occupaient les terres indiennes condamnaient la couleur. Ces descendants de paysans incultes cultivaient la haine : en 1950, le Québec était un enfer pour les étrangers et un paradis pour la jalousie. Ils mangeaient de la langue de porc comme par affinité et rejetaient tout ce qu'ils ne comprenaient pas mais ne comprenaient pas grand-chose : ni l'anglais, ni le français, ni d'où ils venaient et pas du tout où ils allaient. Ils traitaient les femmes comme des vaches et se conduisaient en cochons : le Québec était une immense ferme mal tenue.

Il n'y a pas de « bon vieux temps » pour les vieux immigrants et ils sont unanimes. Ils ne le disent pas aux Québécois car ils leur ont pardonné.

Mais eux aussi, ils se souviennent.

Leçon de survie

Entre les années 1610 et 1640, à peine **trois cents Français** avaient débarqué au Canada. Une vague plus importante d'immigration apparaît jusqu'en 1670, date à laquelle le nombre de nouveaux arrivants français se stabilise à une cinquantaine de personnes par année. La plupart des émigrants proviennent des provinces maritimes de l'Ouest de la France dont ils fuient la misère. Ils sont jeunes, analphabètes et pauvres.

Les **vaches** arrivent vers 1619 suivies des **moutons** et des **chèvres**, avant les **ânes** en 1620. Les vaches servent surtout aux travaux. L'âne disparaît peu à peu. En 1683, on en recense quinze. En trois ans, j'en ai vu deux dans la ferme d'un centre commercial. Les **chats** arrivent également avec les Européens alors que les Indiens avaient des chiens depuis toujours.

La pomme de terre n'apparaît sur les tables au Québec

qu'au XVIIIe siècle. Pour les frites, on attend toujours.

Mais la **bière** apparaît beaucoup plus tôt et la première brasserie est créée dans les années 1650, c'est fou ce qu'on apprend dans ce guide.

En 1709, Louis XIV autorise la déportation des **enfants trouvés** pour en débarrasser Paris, alors que certains tribunaux envoient les condamnés dans la colonie pour « s'occuper de la culture des terres et les obliger d'élever leurs enfants dans la vie chrétienne et d'avoir une vie civile honnête pour gagner leur vie ». Cela n'arrange pas tout le monde : « Il est dangereux d'envoyer des fainéants au Canada » déclare un administrateur. Ah bon ?

Encore un mot à propos des **vaches** : au XIXe siècle, la seule manière de les transporter vers l'abattoir consistait à les faire nager derrière l'embarcation du canotier. Meuh si !

Alors que Richelieu interdit aux Huguenots français de s'établir dans les colonies d'outre-mer, la Couronne anglaise favorise le départ de ceux qu'elle persécute, dont les Quakers. Les conséquences économiques et humaines de ces différents types d'immigration ont façonné l'Amérique du Nord : puritains anglos-saxons et huguenots aux États, les autres au Québec.

Tout ce que nous connaissons de Montréal n'existait pas il y a cinquante ans. Sur Saint-Laurent ne se trouvait alors que Schwartz. Il n'y avait aucune boutique sur Saint-Denis et très peu sur Mont-Royal. Pas non plus d'**expresso**.

La gastronomie québécoise tournait autour des plats suivants : le pâté chinois (hachis parmentier servi aux ouvriers chinois de la Transcanadienne), les oreilles de porc conservées dans l'huile, et le bifteck (sans frites ni salade, ni mayonnaise, ni ketchup).

Et la **poutine** alors ? Elle n'est apparue dans l'art de la table qu'en 1957 grâce à Fernand Lachance (pas pour nous). Il semble en effet qu'un soir de la fin août de cette année, voire même début septembre selon certains historiens fondamentalistes, un consommateur répondant au nom de Eddy Lainesse s'adressa au dénommé Lachance. Il devait être approximativement 17 h 27 lorsqu'il lui ordonna de lui servir, dans un sac de papier brun, une barquette de frites et une autre de fromage. Aux fins de prévenir son client des dégâts qu'un semblable mélange ne manquerait de provoquer, le sieur Lachance s'écria aussitôt : « Ça va faire une méchante poutine ! » Hélas, il avait raison.

On buvait de l'eau et de la bière. À l'exception des navets et autres racines ainsi que des carottes, la plupart des **légumes** que nous connaissons ne se rendaient pas jusqu'ici.

Créer une société

Leçon de survie

Quand un Québécois dit qu'il est **incorporé**, cela ne signifie pas forcément qu'il croit en la réincarnation mais qu'il a fondé une société, qu'il appelle une **compagnie**.

Pratiquement, la loi permet à Ginette Tremblay d'exercer le commerce dans les formes suivantes :

1. L'entreprise individuelle : le commerçant agit en nom propre et sans structure particulière. Il doit préalablement déposer une déclaration d'immatriculation au Bureau de l'Inspecteur général des institutions financières s'il n'exerce pas son activité sous son nom patronymique (Ginette Tremblay).

2. Ginette peut aussi s'associer à Réjean Latendresse pour former une « **société** ». Au Québec une société n'a pas de personnalité juridique de sorte qu'en cas de dette, Ginette et Réjean sont responsables sur leurs biens propres. Dans le cas de la société en nom collectif, les associés sont dits « solidaires » entre eux : les créanciers peuvent se retourner vers la pauvre Ginette (Association des dépressifs du Québec, *529-5619*) pour réclamer la totalité des dettes, et non pas seulement la moitié. La société en nom collectif doit porter l'acronyme S.N.C. à côté de sa dénomination (« Tabernak S.N.C. »).

3. La compagnie (parfois appelée société par actions) dispose, elle, de la personnalité juridique et se rapproche ainsi des concepts que nous connaissons en Europe (S.A.R.L, S.P.R., S.A, etc.) La grosse différence pour nous est que la loi n'exige aucun capital minimum. Il existe essentiellement deux formes de compagnie. La compagnie provinciale qui ne peut exercer son activité que dans la province où elle est immatriculée, en l'occurrence au Québec, et à l'étranger. La compagnie fédérale, elle, peut exercer ses activités sans limitation territoriale.

Dans un cas comme dans l'autre, ces sociétés exercent leurs activités sous l'appellation « Inc. » (par exemple « *Tabernak Inc.* »).

EN PRATIQUE

Il est préférable de consulter un avocat pour constituer une « incorporée ».

Service de référence pour trouver un avocat
www.educaloi.qc.ca/commentaires/ reference.htm

Le coût total de création tourne autour des 1000 à 1500 $ tout compris.

Centre d'aide aux jeunes entrepreneurs
www.sajemontrealcentre.com

Direction Générale des corporations
5 Place Ville Marie, bureau 800, Montréal H3B 2G2 (496-1797)

Restaurants

Fraîchement débarqué...

À Omé

De même qu'il existe des bières sans alcool, de la crème fraîche sans matière grasse et des Français modestes, il y a, sur Saint-Laurent, quelques restaurants où il est impossible de se restaurer. On peut y voir un menu et un cuisinier, des serveuses qui apportent des additions, et il n'y a même que ça. Mais il n'empêche : le bruit y congestionne mon tube digestif, me ferme l'estomac, produit de l'acide gastrique et l'addition me donne envie de tout rendre.

Les serveuses de ces restaurants sont souvent des étudiantes en marketing international, en économie, enfin en beaucoup de choses qui ont beaucoup de rapports avec l'argent mais rien avec leur métier et c'est sans doute pourquoi elles le font aussi mal. Mais elles font ce qu'on leur demande : sourire, bouger du popotin, et demander si l'on veut encore boire quelque chose. L'art de servir est devenu celui d'apporter l'addition avec un air ingénu.

Dans ces hauts lieux de rencontres entre l'argent et la chair fraîche disparaissent à toute allure le sens de la convivialité, celui du service, de l'accueil et de la politesse. Pourquoi pas ce nouveau « concept », me dira-t-on ? D'accord mais pourquoi appeler cela un restaurant ? Parce qu'on y mange ? On mange aussi dans un réfectoire, une cantine, une étable. Appelons cela une « boufferie » et je n'aurai plus de problèmes. Et appelons le « service » une preuve d'amour, un droit de cruisage, une avance, une commission, une aumône, enfin le vocabulaire ne manque pas. Mais laissons les grands mots de côté.

D'ailleurs, je ne prétends pas que ce « service » soit meilleur ailleurs; il est exécrable dans la majorité des restaurants de Montréal. Dans les bars, quand je demande un coca, on m'apporte une boîte de coca avec une paille, comme si j'étais un âne; mais l'on reste planté à côté de moi avec un air raide, jusqu'à ce que je paie le produit et le service, comme si j'étais en infraction. Je n'hésite pas à renvoyer le serveur à ses études et ne paie rien tant que je ne reçois pas : un verre propre, de la glace, un peu de citron et ce coca qu'il est prié de verser à ma place. La faute en est aux patrons, aux syndicats, au gouvernement : cela m'est complètement égal. C'est la mienne si je la tolère. Et si ces gens réclament le service, je propose de leur rendre le suivant : les remplacer tous par des étudiants de l'école d'hôtellerie.

Leçon de survie

On recommande d'additionner les taxes pour connaître le montant du **service**.

Si vous voulez un **café**, demandez un « expresso court ». Si vous voulez une mauvaise surprise, demandez un café.

Quand on vous demande combien d'**additions** vous voulez, cela signifie : doit-on les diviser par le nombre de convives ? Les Québécoises ne sont pas habituées à ce que vous payez pour elles. Restons grands princes même dans le verglas.

Il faut éviter tous les restaurants sur Prince-Arthur, entre Saint-Laurent et le Carré Saint-Louis, même en été où les terrasses semblent agréables. La nourriture y est tout simplement épouvantable et le service à l'avenant.

Si vous voulez connaître les meilleurs restos de Montréal, consultez le Guide Ulysse du Québec.

Le plus vieux restaurant de Montréal n'a pas changé depuis cent ans et ses prix non plus. Ce n'est pas Maxim's, c'est Montréal au début du XXe siècle : des hot-dogs steamés, du coca et des frites pour 3,39 $: **Restaurant Émile Bertrand :** *1308 rue Notre-Dame O. (935-0158).*

En ce qui concerne Saint-Laurent, les **Globe**, **Buenanotte** et autres **Blanc** sont (très) chers, prétentieux, froids et très bruyants.

On mange de très bons hot-dogs sur Saint-Laurent dans la **Charcuterie Hongroise**: *3843 bd St-Laurent (844-6734).* Vrai pain, vraies saucisses.

À propos de viande, **Moishes** est une institution canadienne depuis 1938. Spécialité de steaks grillés et saumons grillés sur du « vrai charbon de bois » : *3961 bd St-Laurent (845-1698).*

Un peu plus haut le **Patati-Patata**. Minuscule (il y a cinq tables) est simple, peu cher.

Excellent steak tartare **Chez Gauthier**, où l'on se croit vraiment en France à tous les niveaux, mais qui est assez cher *(845-2992)*. L'été, dans le petit jardin, on se dirait en Touraine. Le QG de Nicolas Peyrac (far away from L.A. mais il affirme que la purée valait le déplacement).

Sur Saint-Denis, le **Continental**, fréquenté par l'élite culturelle du Plateau. C'est bon mais bruyant et stressant.

L'Express est une bonne brasserie de genre Paris, qui a la réputation d'être la meilleure de Montréal (goûter son steak tartare) : *3927 rue St-Denis*.

Dans le genre local, il faut au moins voir une fois **La Binerie** *(Mont-Royal et Saint-Denis)* qui est le resto le plus typique de Montréal.

Essayer aussi **Delicatessen** sur Mont-Royal et Rachel car il y a des juke-boxes individuels sur les tables comme on voyait dans les films de James Dean : 25 cents pour « Laisse tes mains sur mes hanches » (ou est-ce que c'était « Laisse mes mains sur tes hanches » ?)

Le **Movenpick** est un « restaurant-marché » de douze « îlots gastronomiques ». On y trouve pratiquement de tout, de sorte qu'on peut manger une crêpe bretonne devant l'autre qui avale des sushi. L'avantage, c'est qu'on peut glisser un sushi dans une crêpe bretonne, tous les jours jusqu'à minuit et parfois jusqu'à deux heures : *Place Ville-Marie (861-8181)*.

Les Belges, il y a un sérieux problème avec les **frites** icitte. Un, il n'y a pas l'espèce de pomme de terre; deux, il n'y a pas la graisse; trois, il n'y a pas la technique. Je rappelle aux touristes que le seul procédé est : Premièrement, on prend des pommes de terre belges et on les épluche. Deuxièmement, on les laisse tremper une nuit dans l'eau pour expurger l'amidon. Troisièmement, on les coupe et on les cuit jusqu'à ce que le son de la frite change (il faut des années pour comprendre). Quatrièmement, après les avoir laissées reposer, on les replonge dans la graisse. Cette technique n'est malheureusement jamais passée complètement en Amérique. Frites de consolation au **Petit Moulinsart**, un restaurant typiquement belge tenu par un Belge typique amoureux de Tintin et de la musique : *139 rue St-Paul O. (843-7432)* et à **L'Actuel** : *1194 rue Peel (866-1537)*.

Eggspectation est une eggspérience eggstraordinaire à observer : comprendre le goût des Montréalais à faire la file par moins 20° pour manger des œufs. Il faudrait m'eggspliquer eggsactement le plaisir eggsptionnel qu'ils y trouvent. Moi, sous aucun préteggste… : *198 rue Laurier O. (278-6411).*

ARRÊT STOP Comment fait La **Stanza** pour s'en sortir financièrement, je n'en ai aucune idée. On y déjeune, dîne et soupe pour un forfait invraisemblablement bas (5,95 $ pour le buffet de midi, 9,95 $ pour le soir). Et c'est réellement bon, frais, abondant, dans un décor agréable. Mais le plus du mieux, c'est que ces restaurants offrent le surplus de leurs buffets à la Mission Old Brewery qui vient en aide aux adultes qui n'ont pas 5,95 $ pour dîner. De quoi rendre plus facile l'existanza (il faut vraiment que je pense à postuler chez Cossette Communications).

Quatre restaurants : *1760 bd des Laurentides, Laval (450-663-6112); 6878 rue Jean-Talon E., St-Léonard (256-9674); 1132 bd Marcel-Laurin, Ville St-Laurent (333-0606)* et *380 bd Curé-Labelle, Rosemère (450-437-9484).*

Souper après onze heures

La plupart des cuisines ferment à 11 h. Quelques exceptions :

Movenpick : jusqu'à 24 h et jusqu'à 2 h le vendredi et le samedi.

Chez Claudette : poutine 7j/7, 24 h/24. Œufs, bacon, etc. : *351 av. Laurier (279-5173)*

Sara, fast-food libanais : *4495 bd St-Laurent (843-9014)*

Le Continental : *4169 rue St-Denis (845-6842)*

Les restaurants du **Casino**

Lhermitte et la SAQ

Fraîchement débarqué...

À Louis

Le Québec est le pays du monde où le vin est le plus cher et le plus mauvais. En dessous de dix dollars, il est impossible de le boire, et au-dessus, de le payer. Je ne sais si ce sont les taxes, le puritanisme, la pression de la bière, ou le tout ensemble mais la seule publicité réelle de la SAQ devrait être : ça coûte cher.

Que Thierry Lhermitte veuille venir s'installer ici, je le comprends : mais si c'est à cause du vin, comme le prétend la pub de la Société des Alcools du Québec, c'est une supercherie. Enfin, comment peut-on prétendre que ces vins dénommés « Vignes de France », « Tonneaux de Bourgogne » soient du vin et viennent de France ? Et comment l'ambassade française ne réagit-elle pas ? Si l'on vendait, en Europe, du jus de maïs sous l'appellation « Souvenirs du Québec » en le faisant passer pour du sirop d'érable, j'espère que le Québec s'y opposerait : comment alors la France accepte-t-elle ainsi qu'on la calomnie ?

Qu'on ne vienne pas me dire qu'il est impossible de bien boire en dessous de dix dollars. Il n'y a qu'ici que c'est impossible. On trouve dans des milliers de magasins, en Europe, de bons vins pour cinq dollars la bouteille. Les taxes ? On y paie une moyenne de 20 % de taxes sur les vins. L'État se sucre partout, ailleurs comme ici. Le fait-il davantage ici ? Il faut le croire; mais alors c'est un État pour les riches et ce n'est pas son rôle que de réserver les plaisirs du palais aux nantis. Il ne devrait y avoir que les commerçants pour faire cela. La vertu ? L'État décide-t-il de taxer le vin pour en diminuer la consommation, comme il décide d'interdire l'alcool après onze heures ? Avant de nous faire des leçons de morale sur la condition dans laquelle nous serions plongés si nous étions libres, je lui suggère, en fait de moralité, de réfléchir au loto et autres loteries qu'il vend aux pauvres comme il leur vendait autrefois l'église. Quoi d'autre ? Favoriser la production nationale ? La production de quoi, exactement ? Qui songe, en France, à fabriquer du sirop d'érable ? Le vin est une affaire de climat et de sol : le climat nous ne l'avons pas. Ce n'est pas une tare, c'est de la géographie. Enfin, quelle bonne raison pourrait-on me donner pour m'enlever le droit de partager un verre de bon vin avec la femme que j'aime et mes amis ? On devrait dire du commerce de l'État ce que Montesquieu disait de ses lois : quand il n'est pas nécessaire d'en faire, il est nécessaire de ne pas en faire.

Leçon de survie

ARRÊT STOP En pratique, la **SAQ dépôt** offre un vin acceptable à 5 $ la bouteille (qu'il faut apporter). C'est une succursale de la SAQ.
SAQ Dépôt Montréal
1001 rue du Marché Central Local A1 (383-9954, fax : 383-4157)

Pour le reste, par rapport à l'Europe, il faut souligner que :

Il est interdit d'acheter de l'alcool **après 23 h**.

Il est interdit de consommer de l'alcool dans les bars **après 3 h**.

Il est interdit de boire des boissons alcoolisée **en voiture** (même si l'on est passager).
Il est interdit de consommer des boissons alcoolisées **en rue**.

Il est interdit d'acheter des boissons alcoolisées si l'on a **moins de 18 ans**.

Il n'est pas interdit de consommer de l'alcool dans les **stades sportifs**.

En synthèse, tout ce qui est interdit au Québec à ce propos est autorisé en Europe (à part l'Angleterre) et inversement. Car il y a bien quinze ans qu'on ne peut plus boire de la bière dans les stades.

Apportez votre vin

Les restaurants ne peuvent servir du vin que s'ils ont la « licence » mais les restaurateurs ne peuvent vendre que du vin « timbré » par la SAQ. En pratique, ils achètent le vin plus cher que vous et moi car ils paient des taxes supplémentaires (en plus du permis d'alcool).

En outre, ils ne peuvent pas vendre tous les vins que nous pouvons acheter : il faut qu'ils soient vendus par la SAQ. Un exemple : les « vins de glace », produits essentiellement en Ontario, ne sont pas tous vendus par la SAQ. On ne peut donc pas les proposer dans les restaurants. En revanche, vous pouvez les boire si vous les apportez vous-même, pour autant qu'il s'agisse d'un endroit où l'on ne peut pas vendre d'alcool. Bref, vous pouvez boire ce que vous voulez si vous êtes dans un restaurant où l'on ne peut pas servir d'alcool. Un dernier verre ?

Devant la cherté des vins, que croit-on que fassent les Italiens ? Ils en font eux-mêmes. Ils achètent le raisin et le vinifient. Ils ne le vendent pas. Ils le donnent à leurs amis.

Les Québécois boivent 68 litres de bière par an, ce qui en fait les seconds consommateurs au monde, après les Allemands.

L'alcool, au contraire du vin, est abordable et, comparativement à l'Europe, moins cher. Si vous trouvez ça logique, appelez immédiatement le **911**.

Une, sainte, catholique et apostolique

Fraîchement débarqué...

À Anna

Je ne savais pas que l'église catholique était aussi mortelle avant d'arriver à Montréal. Toutes les rues, ou presque, portent des noms de saints, il y a autant d'églises que de parcs, on « sacre » tant qu'on peut : mais de l'église une, sainte, catholique et apostolique, que reste-t-il ? On voit peu de curé et de nonne dans la rue; j'entends les cloches sonner le dimanche à dix heures mais toutes les églises sont fermées; à part Céline Dion, je n'ai jamais vu de mariée sur aucun parvis et j'attends toujours mon premier enterrement. On dirait qu'en cinquante ans, l'église catholique a subi le sort qu'elle imposait aux cultures traditionnelles : on l'a vidée de l'intérieur.

Le curieux de l'affaire, pour un Européen, n'est pas que les églises soient désertées des fidèles, car elles le sont aussi en Europe; qu'on y habite, ici, est déjà plus étonnant car personne n'oserait le faire là-bas. Ce qui est vraiment étrange est de constater qu'il ne subsiste absolument rien de la culture catholique au Canada français, à part des injures. Dans aucun autre pays du monde, je crois, on n'utilise les objets du culte pour s'insulter; parfois le nom de Dieu, mais jamais le mobilier des églises. Mais dans aucun pays du monde, peut-être, on voit moins d'hosties, de tabernacles, de sacrifices qu'au Québec. Il ne reste dans la mentalité ni ce fond de jansénisme qui faisait la saveur de la conversation de mes tantes, ni cette retenue pour les choses du sexe qui en expliquait le célibat. Tout a disparu, pratique, mobilier, mode de pensée, défauts et qualités : le Québec est devenu la nation la moins catholique de l'univers.

Et pourtant, me dit-on, ce n'est pas faute d'avoir occupé le terrain. Des amis montréalais m'expliquent que le français demeure ici grâce à cette église, que les curés ont exhorté les femmes à enfanter pour multiplier les francophones, qu'ils ont mis la main à la pâte, si l'on peut dire, plutôt deux fois qu'une; qu'ils ont éduqué, sermonné les Iroquois comme les Hurons :

mais de tout cela, de cette présence dans les églises, les écoles, les rues, les ménages; du catéchisme, de l'éducation, des interdits, des pénitences, il ne reste rien dans la mentalité. Pas même l'horreur des curés.

N'est-ce pas curieux, pour un peuple qui se souvient ?

Leçon de survie

La plus ancienne église de pierres de Montréal (1657) n'existe plus et il n'y a donc rien à voir, sauf ses fondations. On peut voir une église transformée en appartements notamment sur Sainte-Catherine.

En revanche, on peut admirer des fresques représentant... Mussolini dans l'**église Madonna della Defesa** *(6810 rue Henri-Julien)*. Ces fresques, réalisées par l'artiste Guido Nincheri ont été cachées durant la Deuxième Guerre mais personne aujourd'hui ne trouve plus rien d'anormal à ça...

Dans le genre souvenirs de guerre, l'**église St.Andrew & St.Paul** contient un immense vitrail représentant les soldats tués pendant la Première Guerre *(Sherbrooke Ouest et Bishop)*.

L'**église Très-Saint-Nom-de-Jésus** *(Adam et Desjardins)* abrite l'un des orgues les plus puissants d'Amérique du Nord.

La **cathédrale Marie-Reine-du-Monde** est une réplique au quart de la basilique Saint-Pierre-de-Rome *(René Lévesque et Mansfield)*.

Le **Musée des Hospitalières de l'Hôtel-Dieu** retrace l'histoire des hospitalières dans ce qui fut le premier hôpital de Montréal *(201 rue des Pins O. 849-2919)*.

L'**Hôpital Général des Sœurs Grises** *(entre les rues Saint-Pierre et d'Youville)* : il n'en reste que l'aile ouest et la chapelle. Ces sœurs doivent leur appellation à leur costume gris (et au fait qu'on les soupçonnait de vendre de l'alcool « grisant » aux Indiens).

Le dôme de l'**oratoire Saint-Joseph** est le deuxième en hauteur (97 mètres) après celui de la basilique Saint-Pierre.

 Toutes ces informations peuvent être utiles pour gagner à un jeu télévisé.

La **croix du mont Royal** a été érigée en 1924, est illuminée et mesure trente mètres de haut. Le but est de rappeler que Maisonneuve promit de planter une croix de bois à cet endroit si Montréal survivait aux inondations. Montréal a survécu, Maisonneuve a tenu sa promesse mais la croix n'a pas tenu. Celle-ci tiendra.

Il reste **265 oblats** dans le monde dont la moyenne d'âge est supérieure à 70 ans. Quand vous aurez fini ce Guide, il en restera 263.

La plupart des Québécois reconnaissent que, quand ils étaient éduqués par des religieuses, ils connaissaient l'orthographe.

Enfin, il est de bon ton de critiquer l'église catholique mais, sans elle, le Québec ne serait plus francophone depuis longtemps. Les catholiques ont lutté ardemment pour maintenir le français (catholique) contre l'anglais (protestant) au Canada.

Le Québec en Europe

Fraîchement débarqué...

À *Lyne*

La notoriété du Québec en Europe est due à Charles de Gaulle et Céline Dion, mais il n'est pas sûr qu'ils en soient les meilleurs promoteurs.

Le premier a réduit la belle province à ses ambitions politiques; la seconde a appris aux Européens qu'on pouvait chanter fort. Les conséquences en sont que le Québec paraît aux Européens un problème politique plutôt qu'un territoire et ses habitants des chanteuses plutôt que des Québécoises.

Pourtant, quoi de plus ennuyeux que la politique québécoise quand on habite en Europe ? Et quoi de plus fâcheux que la prolifération de Célinettes dans tous les karaokés de France et de Navarre ? Où est, dans cette image, l'immensité du pays qui est sa caractéristique la plus surprenante ? Où est sa beauté ? Où sont ses lacs et ses chalets ? Les écureuils du Carré Saint-Louis sautillant aux côtés des fumeurs indigènes ? Les ours, les loups, les bibittes ? Où parle-t-on de la douceur du vent du sud dans ces arpents de neige, du soleil vainqueur et de l'explosion de millions de fleurs au mois de juin ? Non, personne en Europe ne vend le Québec pour ce qu'il est. Et les politiciens, qui ne devraient pas parler de leurs problèmes à l'extérieur de chez eux, feraient mieux de décrire leur splendeur plutôt que leur misère : car la misère n'est pas une caractéristique spécifiquement québécoise. Je ne comprends pas qu'à l'étranger, les Québécois ne proclament pas la beauté de leur pays et le plaisir d'y vivre. Est-ce parce que cela leur paraît si naturel ? Pour ne pas gêner ceux qui n'y vivent pas ? Est-ce de la timidité ? De la honte ? Une sorte de complexe ?

Enfin voilà, si j'étais ambassadeur de Montréal à Paris, je ne ferais aucun discours sur l'unité nationale; je mangerais des fraises québécoises devant la photo du lac Memphrémagog, je tartinerais mes crêpes de sirop d'érable et je passerais mon temps à dire à la France : quand reviendrai-je à Montréal ?

Leçon de survie

Voir Montréal de n'importe où en Europe : **www.montrealcam.com** (réseau de live caméras)

MONTRÉAL EN FRANCE

Commission canadienne du tourisme, c/o Ambassade du Canada : *35 av. Montaigne, 75008 Paris (01-44-43-29-00)*

Service d'immigration du Québec : *87-89 rue La Boétie, 75008 Paris (01-53-93-45-12)*

Délégation générale du Québec : *66 rue Pergolèse, 75016 Paris (01-40-67-85-00)*

Association France-Québec : *24 rue Modigliani, 75015 Paris (01-45-54-35-37)*

La Librairie du Québec : *30 rue Gay Lussac, 75005 Paris (01-43-54-49-02)*

The Abbey Bookshop (librairie canadienne) : *29 rue de la Parcheminerie, 75005 Paris*

L'Érablière, commerce de produits de l'érable et artisanat : *21 rue Garibaldi, 75015 Paris (01-56-58-28-00)*

MONTRÉAL EN BELGIQUE

Ambassade du Canada : *av. de Tervueren, 1040 Bruxelles (02-741-06-11)*

MONTRÉAL EN SUISSE

Ambassade du Canada : *88 Kirchenfeldstrasse, 3005 Berne (31-357-32-00)*

Welcome to Canada, renseignements touristiques : *22 Freihfstrasse, 8700 Küsnacht (910-90-01)*

L'Europe au Québec

Leçon de survie

CONSULATS À MONTRÉAL

Allemagne : Dr Helmut Goekel, *1200 René-Lévesque, suite 4315 (932-2277)*

Belgique : M. Alain Cools, *999 rue de Maisonneuve O., suite 850 (849-7394)*

Espagne : M. Jose Maria Castroviejo, *1 Westmount Sq, suite 1456 (935-5235)*

France : Mme Françoise Le Bihan, *1 Place Ville-Marie, suite 2601 (878-4385)*

Grande-Bretagne : M. Marcus Hope, *1000 rue de la Gauchetière O., suite 4200 (866-5863)*

Grèce : M. Ionnis Papadopoulos, *1170 Place du Frère-André, 3e étage (875-2119)*

Italie : Mme Clara Maria Bisegna, *3489 rue Drummond (849-8351)*

Pays-Bas : M. André Brouwer, *1002 rue Sherbrooke O., suite 2201 (849-4247)*

Pologne : M. Dobromir Dziewulak, *1500 av. des Pins O. (937-9481)*

Portugal : M. Eduardo de Oliveira, *2020 rue Université, suite 2425 (499-0359)*

Suède : M. Lionel Hurtubise, *8400 bd Décarie (345-2727)*

Suisse : M. Albert Mehr, *1572 rue du Docteur-Penfield (932-7181)*

Russie : M. Igor Lebedev, *3655 av. du Musée (843-5901)*

Tchéquie : M. Peter Dokladal, *1305 av. des Pins O. (849-4495)*

RESTAURANTS

Restaurant allemand
Chez Better : *160 rue Notre-Dame (861-2617)*

Restaurants belges
L'Actuel : *1194 rue Peel (866-1537)*

Le Petit Moulinsart : *139 rue St-Paul O. (843-7432)*

Restaurants espagnols
Casa Delicia : *2087 rue St-Denis (843-6698)*
Club espagnol du Québec : *4388 bd St-Laurent (842-6301)*

Restaurants français
Il y en a partout, ou presque.

L'Ambroisie : *rue St-Ambroise (932-0641)*

Chez Gauthier : *3487 av. du Parc (845-2992)*

Bonaparte : *443 rue St-François-Xavier (844-4368)*

Chez Queux : *158 rue St-Paul O. (866-5194)*

Le Persil Fou : *4669 rue St-Denis (284-3130)*

Restaurant irlandais
Hurley's : *1225 rue Crescent (861-4111)*

Restaurants italiens
Aussi nombreux que les restaurants français.

Bis : *1229 rue de la Montagne (866-3234)*

Casa Cacciatore : *170 rue Jean-Talon E. (274-1240)*

Restaurant russe
Kalinka : *1409 rue St-Marc (932-3403)*

Restaurant suisse
Alpenhaus : *1279 rue St-Marc (935-2285)*

De l'air !

Fraîchement débarqué...

À Benjamin

Les compagnies aériennes, non contentes de nous prendre pour des imbéciles en proposant quinze tarifs différents pour le même siège, ont également pris l'habitude de nous traiter en bétail sans que personne y trouve à redire. Comme le fermier n'a pas de comptes à rendre aux vaches, les compagnies partent en retard, arrivent quand elles le peuvent, font grève toutes les semaines mais ferment les portes de leurs avions si nous avons du retard, nous pressent sans gentillesse si nous tardons et nous prient d'accepter leur grève comme un phénomène naturel, prévisible et dirimant. C'est pourquoi je les hais, moi qui ai besoin d'elles. Nous n'y mangeons que quand elles ont faim, ne partons que si cela leur plaît, et passons notre temps à les attendre.

Le pire n'est pourtant pas cela mais qu'elles nous cachent une vérité énorme : qu'à voyager, comme à être amoureux, on perd sa santé. Il est connu de peu, mais ils le savent tous, que le voyage Paris-Montréal, par exemple, quand il passe par le pôle, altère tellement nos cellules sanguines que la plupart des pilotes meurent avant l'âge de mourir. Les médecins savent qu'après un voyage transatlantique, nos cellules sont tellement comprimées qu'elles en sont méconnaissables. On nous empêche de fumer mais on nous inocule le cancer comme on nous impose d'embarquer à 21 h 16 sans s'excuser d'arriver trois heures après l'heure.

N'ayant aucun respect pour ces compagnies qui me méprisent, je n'entre jamais en avion que le dernier, afin de le faire attendre et de prendre la place qu'il me plaît plutôt que celle qu'on me désigne. Je me dirige naturellement vers la queue, qui est l'endroit statistiquement le moins dangereux en cas d'accident mais j'en sors le premier, en m'approchant d'un siège proche de la sortie avant l'atterrissage, parce qu'il m'est insupportable qu'on m'empêche de fumer plus longtemps. Je ne mange pas ce qu'on me sert mais bois ce qu'on me propose, afin de dormir au plus vite. J'emporte avec moi des boules

Quiès, les seules efficaces, un coussin gonflable plutôt que l'oreiller des compagnies qui ne sert à rien, des œillères et une banane où je range mes affaires sans avoir à les chercher plus tard. Je ne travaille ni ne lis mais je m'endors, je bénis la rapidité du moteur et que personne, au moins pendant ce vol, ne me téléphone. Bien sûr je dors mal, car le sommeil en avion est réservé aux riches. Ce sommeil que Dieu avait donné aux pauvres également pour repos de leurs malheurs nous est interdit dans ces compagnies et nous sommes priés de rester éternellement assis dans la nuit quand les autres dorment sous des draps grâce à leur argent : mais comment peut-on respecter les compagnies aériennes qui nous respectent si peu ?

Au réveil, c'est le mauvais café qu'on nous sert sans égard à l'heure réelle ni à l'état de notre estomac. Il serait temps de souper mais on nous sert des biscuits à la confiture parce qu'il est l'heure à Paris. Le film est fini, les hôtesses sourient, le commandant qui a toujours une voix héroïque nous parle du temps qu'il fait : mais quand donc sortirai-je de ce morceau de métal ?

Et pourtant ces carlingues contiennent un rêve érotique bien représenté par les voix suaves des aéroports. Il est gênant de ne pouvoir offrir à une femme la business class lorsqu'on a lu *Emmanuelle* qui s'envoyait en l'air-en l'air dans les toilettes avec des gentlemen. Mais il est encore plus inconfortable, à cause des accoudoirs, qu'elle s'endorme sur notre épaule; qu'elle ait froid, puis trop chaud, se retourne vers le voisin et qu'on craigne de la perdre, demande si l'on est bientôt arrivés alors qu'on est à peine partis. Ce spectacle est lamentable et l'on se sent minables, esclaves de la mauvaise compagnie qui nous prend pour des bœufs mais feint de nous traiter en rois, puis finit si mal et dans tellement de fatigue un voyage qu'elle nous avait vendu dans tant de luxe. Je suis gêné de n'avoir pu payer la business class ou la première à la femme que j'aime et chaque turbulence me paraît une preuve de cette mauvaise auberge : vraiment, quand sortira-t-on de cette carlingue ? Quand pourrai-je voir à nouveau ma femme nue et étendue à côté de moi, touchant son dos en liberté dans la simple joie de dormir ventre contre dos, sexe mou dans la raie des fesses ?

Au moins c'est la leçon que l'on tire : à dormir si mal, on envie des plaisirs ordinaires qu'on avait oubliés. Et le soir, dans la chambre retrouvée, n'est-il pas doux de se souvenir qu'il y a quelques heures, que maintenant à la même heure, des tas de gens sont inconfortablement installés à voler au-dessus de nos têtes, alors que nous sommes couchés, étendus et libres, à côté de la femme que l'on aime – qui ne veut pas faire l'amour parce qu'elle est fatiguée du voyage ?

Leçon de survie

Aéroports de Dorval et Mirabel *(1-800-465-1213)*

Bien entendu, les **agences de voyages** sont ici comme ailleurs ès spécialisées dans la fantaisie. Elles annoncent des « ventes de sièges » (en français : billets à prix réduits) qui coûtent plus cher qu'un prix normal et passent une bonne partie du temps à mentir. Quand elles disent, par exemple : « Il n'y a plus de place sur le vol Air France » cela signifie : « Nous avons vendu nos places ».

Québec-Air, Eastern, Western et **Pan-America**, les compagnies que prenait Robert Charlebois pour revenir à Montréaaal n'existent plus.

Air France a fait de Montréal une destination privilégiée et y a même installé un important centre d'appels. Ses vols proposent un choix de repas (viande ou poisson), de vin dans toutes ses classes, des hôtesses charmantes et ce soupçon de prétention qui saupoudre la France entière.

La Sabena, ancienne compagnie belge, n'existe plus depuis qu'on l'avait rebaptisée « Such A Bad Experience Never Again ». Maintenant il n'y a plus de compagnie en Belgique. C'est malin.

Si vous êtes sourds, préférez **Air Canada**. Cette compagnie offre un numéro de téléphone spécial pour les malentendants *(1-800-361-8071)*

Air Inuit *(1-800-361-2965)*. Sert surtout pour se rendre dans le Nord. Ca coûte plus cher qu'un vol AR pour Paris. La raison ? Les prix sont inuits (elle est excellente).

Il paraît qu'on peut fumer sur les vols **Aéroflots** (on peut aussi exploser, être attaqué par un missile et atterrir en Tchéchénie).

TRANSPORT PAR BATEAU

Une compagnie française organise le transport individuel en cabine de cargo : ***www.meretvoyages.com***. Il y a un départ tous les mois de Marseille pour Montréal, le voyage dure à peu près douze jours. Coût : environ 1200 euros.

Dans l'autre sens, le bateau part de Montréal et passe par Gênes. Le voyage est plus long, le prix un peu plus élevé (environ 1500 euros). Les activités à bord : le ping-pong et la machine à ramer (ça peut aider). Téléphone à Paris : *01-49-26-93-33*.

Tourisme à Montréal

Fraîchement débarqué...

À nos amis

Depuis que je suis installé en Amérique du Nord, j'ai de nombreux amis en Europe. La plupart, qui viennent me voir en vacances, décident que je le suis aussi, que mon appartement est un hôtel, ma voiture un taxi, et mon frigo sans fond. Je suis prié de leur faire visiter les « plus beaux coins » du Québec, de leur trouver le « meilleur » sirop d'érable, les plus bas « rapports qualité-prix », le plus beau lac et, s'ils ne me remercient pas quand je le trouve, c'est à peine s'ils m'en ne veulent quand je ne le trouve pas.

Quand Davide a débarqué à Dorval, il a d'abord trouvé qu'il faisait froid; quand il est entré chez moi, qu'il y avait de la poussière sur la télévision. Quand il l'a allumée, qu'il n'y avait pas d'informations sur l'Europe. Quand il a vu des Québécois, il a pensé qu'ils avaient un accent : il y a des touristes qui traitent les nationaux comme des étrangers.

Il me demande ce qu'il y a à voir de « typique ». Je lui réponds aussi sec : le Vieux-Port, qui a l'avantage d'être loin de chez moi. Quelques heures plus tard, il me revient les bras chargés de mocassins et d'arcs à flèches, tout enthousiaste d'avoir marché sur des « vrais pavés » comme en Europe. Et je me rends compte que cet imbécile est venu chercher à Montréal les pavés de Bruxelles, comme Boris Vian voulait voir Syracuse pour s'en souvenir à Paris.

- Sais-tu pourquoi je suis venu à Montréal ? me demande-t-il justement dans la cuisine, comme s'il était en mission secrète.
- Pour m'emmerder, ai-je envie de lui répondre – mais je lui demande d'expliquer.
- Pour voir s'il y avait des possibilités pour ma carrière.
- Quelle carrière ? fais-je, étonné, puisqu'il est bagagiste à Zaventem.
- Ma carrière de chanteur. J'ai décidé que je me lançais dans la chanson comme Bocceli. Écoute ce que j'ai composé.

Ce moment restera gravé pour toujours dans ma cuisine. Voilà Davide qui entame une sorte de chanson de bel canto, aussi fausse que possible, mais aussi fort qu'il le peut. Bocceli est peut-être aveugle mais Davide est, en outre, sourd. Et il croit que, parce qu'il chante fort, il a sa place au Québec.

- Tu comprends, dit-il en remuant une sauce italienne en boîte, qu'il m'a fallu manger ensuite, ma voix vient de mes ancêtres napolitains. Tous les Italiens sont doués pour le chant.

Tous sauf un. Et c'était lui.

Enfin quand ce Belge d'origine italienne a quitté mon appartement du Canada, je me suis souvenu de cette phrase russe : quand un ennemi sort de chez moi, j'ai l'impression qu'un ami y rentre.

Leçon de survie

VISITER

Centre Infotouriste : *1001 Square-Dorchester, au coin de Peel et Ste-Catherine (873-2015 ou 1-877-266-56-87)* ***www.bonjourquebec.com***

Sur le Net : ***www.tourisme-montreal.org*** ***www.musees.quebec.museum***

On peut envoyer promener les emmerdeurs à plusieurs endroits de la ville. Le **Biodôme** *(836-3000)* est une sorte d'immense Jardin des Plantes couvert (il y a des plantes carnivores). Leur suggérer également la **Biosphère** *(283-5000)*, « premier centre canadien d'observation environnementale » ainsi que le

Jardin Botanique *(872-1400)*, l'un des plus importants d'Amérique du Nord (voir l'intéressante section consacrée au jardin des Premières Nations (ça veut dire les Indiens). Dans le genre culturel, le **Musée des Beaux-Arts** *(285-1600)* organise des expositions à thème qui permettront au visiteur de raconter en Europe qu'il les a vues. Il fut un temps où Montréal était ni plus ni moins que la capitale mondiale du phonogramme. *La Voix de son Maître,* c'était ici : on peut visiter le mignon petit **Musée des Ondes Émile Berliner** *(932-9663)*. De très intéressantes expos thématiques sont également organisées au **Musée McCord d'histoire canadienne** *(398-7100)* qui possède une exceptionnelle documentation sur l'histoire des Autochtones (ça veut dire les Indiens).

Faites-lui faire un tour de Montréal à table (restaurant pivotant, dernier étage de l'**hôtel Delta**, *777 rue Université, 879-1370*), en bus (**Gray Line**, *934-1222*) ou en **amphibus**, un bus qui roule et flotte dans le Vieux-Port *(849-5181)* pour voir si vous n'y êtes pas. Il se perdra certainement si on le laisse seul dans la **ville souterraine** (treize kilomètres de tunnels sous le centre-ville) mais pour l'achever, le meilleur moyen est encore de lui offrir une **poutine** et de l'amener ensuite à **La Ronde**, parc d'attractions bien connu de Montréal *(872-ILES)*.

L'ENVOYER DANS UN HÔTEL

Le moins cher

Le Boléro : 30 $ la nuit, taxes comprises, prix valable toute l'année. Pourquoi si peu ? Parce qu'il n'y a pas de salle de bain dans la chambre. Ni de télévision. Ni de toilettes.
17 rue Ste-Catherine O. (844-7149).

Le plus cher

Le St-James : appartement terrasse pour 5000 $ la nuit. Taxes non comprises, bien sûr.
355 rue St-Jacques (841-3111)

Le plus incroyable au Québec

L'**Hôtel de Glace** à Québec. Tout y est fait en glace : les murs, les lits, le bar, le verre à vodka, l'écran de cinéma, la chapelle… Il n'y a que la note qui ne laisse pas de glace (elle est facile mais subtile) : chambre double à 458 $, souper et petit déjeuner compris. On peut aussi visiter, si on n'a pas les moyens. Ça ne coûte que 12 $. Ouvert en janvier, fondu en avril. Tous les renseignements sur ***www.icehotelcanada.com***.

43 informations hilarantes quand on débarque d'Europe

Fraîchement débarqué...

À Geneviève

1. Il est interdit d'apporter des légumes au Canada.

2. Les Québécois pensent qu'ils sont des colonisés.

3. Les chauffeurs de bus ne rendent pas la monnaie. On doit payer 2,50 $. On peut acheter des tickets dans les stations de métro. Ça revient moins cher.

4. En été, les chauffeurs de bus portent des shorts bleus avec des bas blancs (ils ne rendent toujours pas la monnaie).

5. Les Québécois estiment que les Français utilisent trop d'anglicismes.

6. « Est-ce que vous avez du small change ? » signifie : « Est-ce que vous avez de la monnaie ? »

7. Les renseignements téléphoniques sont gratuits (quand on les appelle d'une cabine) et complètement informatisés si vous parlez correctement.

8. Les appels téléphoniques sont gratuits (sauf depuis les cabines téléphoniques) quand on appelle dans la même zone.

9. Les appels téléphoniques sont gratuits même quand on n'appelle pas dans la même zone (certains appels du 514 vers le 450 ne sont pas facturés).

10. Finalement, la gratuité du téléphone n'a rien à voir avec la zone.

11. On paie les appels que l'on reçoit sur les « cellulaires ».

12. Une piastre égale un dollar. Un dollar canadien vaut moins qu'un dollar américain. On dit que le dollar canadien disparaîtra bientôt au profit du dollar américain.

13. Il existe des billets de 1000 $.

14. Les appartements sont souvent loués chauffage compris. On ne fait pas d'état des lieux. Ils sont loués la plupart du temps avec frigo et cuisinière. Une buanderie est installée dans beaucoup de buildings (on paie avec des pièces de 1 $ et de 25 cents).

15. Les taxis sont plus aimables que partout ailleurs dans le monde et n'enclenchent leur compteur que lorsqu'ils ont pris la direction de la course.

16. Il n'est pas obligatoire de donner des pourboires aux taxis (mais c'est poli).

17. On ne dit pas à gauche et à droite, ou en haut et en bas mais à l'est, à l'ouest, au nord et au sud.

18. Mais le nord des Montréalais n'est pas le nord.

19. « Apportez votre vin » signifie que le restaurant ne peut pas en vendre car il n'a pas payé la « licence ».

20. Beaucoup de restos sur Prince-Arthur affichent « Apportez votre vin » mais la bonne idée serait d'y apporter aussi sa nourriture.

21. Un verre d'eau est toujours gratuit à Montréal.

22. L'eau froide est gratuite à Montréal.

23. Il fait moins trente degrés quand il fait moins quinze (c'est à cause du facteur vent).

24. Il fait quarante degrés quand il fait trente (c'est à cause du facteur humidex).

25. Un timbre de 1,05 $ coûte 1,20 $ (c'est à cause des taxes).

26. Une addition de 100 $ coûte 115 $ (c'est à cause du service).

27. Retirer 100 $ coûte 102 $ (c'est à cause des frais bancaires).

28. Un billet de 1 $ coûte 4 $ (c'est à cause des collectionneurs).

29. On ne peut pas descendre en négatif sur son compte.

30. Il y a deux fois les mêmes numéros dans la même rue.

31. Il n'y a pas de toilettes publiques à Montréal.

32. Il y a des « abreuvoirs » publics à Montréal.

33. Il y a parfois des choses illogiques à Montréal.

34. Tout le monde déménage à date fixe (le 1er juillet).

35. Il est impossible de trouver des déménageurs le 1er juillet.

36. L'argent gèle au Canada.

37. Les perroquets québécois ont l'accent québécois (éleveur de perroquet : *450-464-2851*).

38. Le téléphone linguistique : vous pouvez tout savoir sur l'accord du participe passé en téléphonant au *873-9999 (tapez 1 puis 569)*. C'est gratuit.

39. On vend du coca dans les pharmacies.

40. La plupart des restaurants sont pleins le jeudi (c'est le jour de la paie).

41. C'est un ordinateur qui vous appelle si vous avez oublié de rendre un livre à la Bibliothèque de Montréal.

42. Un cinéma porno est classé monument historique (cinéma *L'Amour, 4015 bd St-Laurent*).

43. Le PQ est le nom d'un parti politique.

Arnaques au Québec

Fraîchement débarqué...

À Sacha

Les **prix sans taxes** ont pour effet qu'aucun commerçant ne connaît précisément le prix de ce qu'il vend (à part au Dollarama). Quel est l'intérêt de cette pratique ? Faire croire que c'est moins cher. Dans les restaurants, le prix réellement payé est ainsi 30 % plus cher que le prix affiché puisqu'il faut ajouter 15 % pour les taxes et autant pour le service.

Deux pour un : l'idée est de faire croire qu'on paie un seul plat pour les deux qu'on commande. À l'analyse il s'avère, soit que les exceptions sont si nombreuses (ça n'a lieu, dit le menu, que le mardi entre 17 h et 17 h 04) que ce n'est jamais vrai. Soit que chaque plat coûte deux fois son prix.

Spécial : signifie solde. Dans certains magasins, tout est « spécial » et certaines étiquettes spécifient « grande liquidation » ou même « wow ! ».

Les pointes de pizza à 99 cents ne coûtent jamais 99 cents.

Boxing day désigne les soldes du 26 décembre. Voir spécial.

Les queues de castor ne sont pas des queues de castor (mais une sorte de pâte sucrée cuite dans la graisse). C'est le moment de se demander pourquoi les castors ont la queue plate (blague de trappeur) ? Parce qu'ils se font sucer par les canards.

Les ventes trottoir Ce n'est pas parce que c'est dehors que c'est moins cher.

La poutine n'est pas un plat traditionnel québécois mais une invention de restaurant. Ce n'est pas parce que c'est mauvais que c'est québécois.

Les frais bancaires : il faut payer pour payer. Difficile d'économiser au pays des castors.

Les œufs bacon ne sont pas non plus le plat national américain historique mais une invention marketing des années 1930.

Appel 24 heures sur 24, 7 jours sur 7 signifie qu'une voix enregistrée vous répondra que « votre appel est important pour nous » avant de vous faire attendre deux à trois heures car il n'y a qu'un préposé pour tout le Canada (le Québec est trois fois plus grand que la France).

Le rabais postal consiste à vous faire payer la totalité d'une somme et à vous en rembourser une partie par envoi postal. La bonne question est : pourquoi ne pas rembourser tout de suite ? La réponse : parce qu'on ne veut pas rembourser. Cette technique est basée uniquement sur l'espérance de la paresse des clients qui ne réclameront pas leur « rabais ». Car premièrement le rabais n'est, en théorie, envoyé que cinq semaines après l'achat et deuxièmement il n'y a aucune chance que vous le receviez si vous ne les rappelez pas au moins deux fois.

Le téléphone cellulaire à carte prépayée coûte une fortune et cause la ruine de bien des émigrants. On paie pour appeler dans la zone où l'on se trouve, on ne peut pas joindre les numéros gratuits, on paie pour recevoir des appels, on paie pour consulter son répondeur, et on paie quand on ne répond pas (si votre correspondant a la bonne idée de vous laisser un message). Il est en outre inutile d'économiser son temps car toute minute entamée, même d'une seconde, est payante. Bref on dépense facilement plus de 20 $ par jour (coût de base d'un abonnement mensuel à Bell : 310-2355) pour absolument rien. On vend chez Dollarama de faux cellulaires pour 1 $.

Il en est de même pour de nombreuses **cartes prépayées d'appels internationaux**. La source de profit majeure de ces cartes consiste dans le fait que la plupart des consommateurs ne les utilisent pas complètement. Ils achètent pour 5 $ mais ne consomment que pour 4,25 $. Par ailleurs, toute minute entamée est due; on prétend que certaines cartes facturent les appels sans réponse ou mêmes occupés. Éviter les cartes sans frais de connexion qui surfacturent les premières minutes.

Les Air Miles et autres Pétro-Points : il faut plus de 800 points Air-Miles pour s'offrir une paire de lunettes Nike. Comme on obtient un point par tranches d'achat de 20 $, il faut 16 000 $ pour obtenir une paire de lunettes de 50 $. Non seulement ils nous prennent pour des cons, mais en plus ça marche.

Office de protection du consommateur : *www.opc. gouv.qc.ca*

Sans un balle (ou presque) à Montréal (C'est arrivé aux meilleurs d'entre nous.)

Fraîchement débarqué...

À Kenny

Lire gratuitement : toutes les bibliothèques sont gratuites. *Voir* et *Ici* sont gratuits.

Internet free : **Bell** sur *Sainte-Catherine Ouest* (15 minutes maximum, 1er étage). Également gratuit dans les **bibliothèques municipales** (il faut s'inscrire mais l'inscription est gratuite pour les résidents).

S'habiller : **Armée du Salut** *(488-8714)*.

Se meubler : idem, spécialement sur Notre-Dame Ouest *(935-7425)*.

Manger : on peut manger des insectes gratuitement à l'Insectarium *(872-1400)*. Très bonne sauce spaghetti à emporter, faite sur place pour 4 $: **Amelio's**, *201 rue Milton* *(845-8396)*.

Boire : l'eau est toujours gratuite.

Se parfumer : aller à **La Baie** ou chez **Jean Coutu**, et se parfumer au tester.

Se remonter le moral : se rappeler qu'un dollar canadien vaut 19 385 leus (monnaie roumaine).

Téléphoner en Europe : carte Globo sans frais (5 $ pour une heure environ). Ou appel à frais virés.

Se déplacer : métro gratuit quand il n'y a pas de contrôleur, c'est autorisé.

Se casser : le covoiturage est organisé par **Allo Stop**. On paie un droit d'inscription de 6 $ et un tarif par distance (Montréal-Québec pour 15 $) : **Allo-Stop** *(985-3032)*.

Se faire couper les cheveux : les écoles de coiffure cherchent des modèles. On peut se les faire couper pour 10 $ à l'**École Nicole Bisson** (376-0229) ou pour 4 $ à l'**Académie de coiffure Hairstorm** : *751A rue de Liège (227-7628)*.

Retirer de l'argent de votre compte sans payer de frais bancaire : demander des espèces à la caissière de votre supermarché.

Gagner 25 cents : faire la tournée des téléphones publics pour récupérer les pièces oubliées. Il y a un pro près de chez moi qui fait ça tous les jours. Si vous n'en trouvez pas, c'est à cause de lui. Il se promène en vélo et porte un jogging bleu.

Gagner 20 $: chanter dans le métro. Il faut s'inscrire à la STCUM, on chante aux emplacements indiqués (sous la Lyre). La meilleure place est Berri-UQAM.

Gagner 30 $ en jouant aux échecs : Café Rencontre *(du Parc et Milton)* organise un tournoi.

Gagner 1000 $: accepter de faire des tests de nouveaux médicaments : **Algorythme Pharma** *(858-6312)*, **Anapharm** *(485-7555)* ou si vous êtes vraiment fauché *1-888-758-6312*.

Rentrer en Europe : Air Transat aller-simple.

Éviter de faire une énorme connerie : Suicide Action Montréal *(723-4000)* l'appel est gratuit (évidemment).

Aller à New York : prendre le bus (se renseigner à la station Centrale, *842-2281*).

En tout dernier recours : revendre ce bouquin à l'**Échange Saint-Denis** : *713 rue du Mont-Royal E. (523-6389)*.

La vie en dessous de zéro

Leçon de survie

Les **agences de recouvrement** ont seulement le droit de vous emmerder mais non celui de vous citer en justice. Elles ne peuvent vous appeler qu'entre 8 h et 20 h, ne peuvent pas vous déranger les dimanches et jours fériés et ne peuvent pas faire usage de menace. Il est légal d'interdire à une agence de vous appeler en l'informant que vous ne souhaitez que des communications écrites. En cas de problème, appeler l'**Office de la protection du consommateur** *(873-3701)*.

Après jugement de condamnation, une **saisie** est possible, soit chez vous, soit dans les mains de votre employeur. Il existe ici comme ailleurs des « quotités insaisissables » qui sont :

* pour les meubles et effets domestiques : protection jusqu'à une valeur de 6000 $ (pratiquement, vous indiquez à l'huissier ce que vous voulez conserver jusqu'à concurrence de 6000 $).

* pour les salaires : le calcul est basé sur une quotité insaisissable et un pourcentage maximum de saisie.

La quotité insaisissable pour un isolé sans personne à charge est de 120 $ par semaine; pour les autres, l'insaisissabilité est de 180 $ par semaine plus 30 $ pour chaque personne à charge au-dessus de deux.

Le pourcentage maximum est de 30 % du salaire brut.

Le maximum saisissable est donc de : 30 % (revenu brut − quotité insaisissable).

Ainsi, si vous avez une personne à charge et gagnez 300 $ par semaine, on ne peut saisir que :
30 % (300 $ -180 $)= 36 $

La **faillite personnelle** est le dernier recours de protection contre les créanciers. Pour tous les détails, consulter un « syndic de faillite » qui fait office de curateur. Pratiquement, vous lui cédez vos biens saisissables afin de régler les créanciers. Un dépôt mensuel à la Cour et le paiement de frais judiciaires sont obligatoires. L'intérêt de la procédure ? Après neuf mois, vous recevez une « libération » et vos dettes sont effacées, à l'exception de certaines d'entre elles (pensions alimentaires, amendes, etc.)

Un numéro toujours utile : le téléphone juridique, proposant des infos préenregistrées à 1,50 $ la minute *(1-900-451-6096)*.

Ma caravane au Canada

Fraîchement débarqué...

À Krishnamurti

D'accord, mais où trouve-t-on une cabane, au Canada ?

Premièrement, on n'appelle pas ça une cabane mais un chalet. Ce mot délicieux ne nous transporte-t-il pas immédiatement dans un havre de paix en bois, près de la petite maison dans la prairie où virevoltent et époussettent en sifflant Heïdi et Romy Schneider ? C'est pourquoi Krishnamurti a raison de dire dans *Se libérer du connu* qu'il faut se méfier de sa pensée.

Car « chalet » en québécois n'a rien à voir avec rien, c'est-à-dire désigne toute habitation secondaire pourvu qu'elle ne soit pas au centre-ville. On trouve, en vrac, des HLM, des bijoux, des horreurs, beaucoup de chaises en plastique et partout des lits superposés : bref, « chalet au Québec » signifie à peu près la même chose qu' « appartement à Paris ».

Mais à la différence de Paris, ici il y a la nature : le lac, sur lequel hurlent des bateaux à moteur dès sept heures en été, la radio des pêcheurs sur glace venus se ressourcer en hiver, et toute l'année ces petits restaurants typiques de la campagne où l'on sert la même chose qu'au MacDo.

Donc, deux siècles plus tard, on comprend qu'il fallait dire « chalet en bois rond » pour désigner ce qu'on cherchait et « chalet-en-bois-rond-au-bord-d'un-lac-où-les-bateaux-à-moteur-sont-interdits » pour être précis. Bien sûr, on part aussitôt dans des délires de dollars car toutes les options dont, justement, on ne veut pas, nous sont offertes : air climatisé, bain tourbillon (en français jacuzzi), miroirs au plafond, foyer électrique et peau de mouton. À la fin, pourquoi les Québécois ne veulent-ils pas entendre que ce que nous cherchons est simplement : se prendre pour un trappeur, avoir une toque en raton laveur, couper le bois avec un air de survivant pendant que notre femme nous regarde par la fenêtre en se disant « quel homme ! », puis ramener une outarde à griller sur les bûches – pourvu que ça ne dure qu'une semaine ? Est-ce qu'il serait si difficile, par exemple, à l'heure où l'on sonde Mars, de nous faire rencontrer par hasard une squaw qu'il faut sauver de l'eau et qui tombe éperdument amoureuse pour 99,95 $ de supplément ? Ou, pour les Européennes, un bûcheron prenant sa douche tout nu sous des feuilles d'érable et qui les obligerait, sous la menace d'un couteau en plastique, à faire l'expérience Herbal Essence ?

Mais il est écrit qui cherche trouve. En cherchant calmement, et en exigeant des photos prises de loin, on trouve finalement le décor : au fond des forêts, des merveilles indescriptibles de beauté et de calme. Le clapotis du lac, le saut des truites à la tombée du jour, le parfum du bois de la maison, enfin la béatitude la plus complète que l'on puisse trouver sur la terre est à quelques kilomètres de l'endroit où vous êtes assis.

Leçon de survie

Si vous rencontrez quand même la **squaw** commencez par lui dire : « wachiya tanaytine ? » (bonjour comment ça va ? en cri). En allant sur le traducteur du site **www.ainc-inac.gc.ca/ks/5010_f.html**, vous pourrez également apprendre à lui dire « J'aime la pizza » en kwakwala, malécite, mi'kmaq, mowhawk, siksila… Ce traducteur n'a pas non plus compris nos fantasmes.

Le bûcheron le plus connu au monde s'appelait **Louis Cyr**. Il était québécois et musclé : 138 kilogs de biceps, mollets, deltoïdes et poitrail. Il était fort : il soulevait une masse de 860 kilogs. Il sentait bon l'érable chaud. Mais bon, il est mort il y a presque cent ans.

Est-ce que vous vous êtes déjà demandé pourquoi les **castors** font des barrages ? Moi non plus. Mais finalement c'est pour, en élevant le niveau de l'eau, empêcher celle-ci de geler, ce qui leur permet d'entreposer leurs réserves de nourriture sous le barrage et d'habiter au-dessus.

Les **Hurons** s'appellent comme ça à cause des Français qui s'étonnaient de leur coupe de cheveux et se seraient écriés : « Quelle hure ! » (les Français ont toujours des remarques intéressantes). Leurs descendants s'appellent des squeeggies et attaquent les voitures pour salir leurs pare-brise (ça coûte 25 cents).

Grey Owl, le père de tous les Verts, a vécu à Cabano et un musée lui est dédié à Fort Ingall sur le lac Temiscouata.

MARTINE CONSTRUIT SA CABANE

La construction « pièce sur pièce » consiste à superposer des pièces de bois les unes sur les autres en comblant les interstices de mousse. Cette ancienne technique du XVIIIe siècle a légèrement évolué car Martine peut maintenant construire une maison en béton, tout en la revêtant ensuite de faux rondins en caoutchouc dur. Elle peut également s'adresser à l'une des nombreuses entreprises spécialisées dans les chalets en kit : on lui livre le matos, et Martine (son mec évidemment) fait le reste. D'ailleurs le gros problème du vrai chalet en pleine nature, ce n'est pas ça : c'est la bécosse (« back-house »). Les fosses septiques et leur installation sont extrêmement réglementées au Québec car une mauvaise évacuation des eaux usées cause la perte des lacs. Pour tout savoir sur cette question et beaucoup d'autres : ***www.fapel.org***

We made it !

Fraîchement débarqué...

Aux suivants

Nous avons fait ce que la plupart des Européens n'osent pas faire : nous avons émigré. Nous avons tout laissé tomber en Europe et nous sommes venus. Non pas à cause de la guerre, de la misère ou de la politique; mais nous sommes tous venus pour une raison particulière, fiscale, sentimentale, financière. Peu importe : tous les émigrés ont une histoire secrète et elle leur appartient. Beaucoup d'entre nous, quand on leur a demandé à la douane ce qu'ils avaient à déclarer, auraient pu dire : j'ai à déclarer que la vie est injuste et que je viens en faire une nouvelle.

On l'a fait. On l'a peut-être mal fait mais on l'a fait. On ne vit peut-être pas – encore - comme on l'avait rêvé et nous n'avons pas trouvé notre cabane au Canada. Mais on y est ! À midi, il est déjà six heures en Europe; nous vivons quand ils dorment. Et toujours, ici, c'est cette luminosité de ce ciel immense qui nous fait dire à tous : je l'ai fait et j'avais raison.

Ça n'a pas été facile. Il y a des moments où l'on se pose des questions sur sa santé mentale, son sens des responsabilités. Nous avons vécu des moments difficiles, à trouver des amis québécois, un appartement, et de l'argent. De l'argent ! Ces grandes dépenses du début dans le souci de bien s'installer; les pourboires généreux dans l'enthousiasme de Montréal; puis ce léger doute Interac au moment où la carte passe chez Provigo; l'angoisse quand on reçoit le solde du compte. Et la question qui suit immédiatement : comment je fais demain ? Et pourquoi ai-je tant gaspillé il y a un mois ?

Ceux qui nous jugent nous envient. Ils trouvent que, pour nous, c'était facile. C'est toujours facile pour les autres. Mais nous, on l'a fait. On a pris larmes et bagages et on est parti. Ils disent aussi qu'il ne suffit pas d'émigrer pour échapper à ses démons. La plupart des gens qui restent ont d'excellentes raisons de le faire. S'ils avaient émigré avec nous, je pense que nous serions revenus d'où ils venaient : car c'est eux que l'on quittait.

Qui d'entre nous regrette d'être ici ? Personne. Ceux qui regrettent sont ceux qui ne sont pas venus, comme on déplore, après un mois d'août en Corse, de vivre à Lille : mais pourquoi ne pas rester en Corse ?

Alors merci à tous ces gens du Québec que nous venons envahir et qui n'ont rien demandé, merci à leur gentillesse peut-être unique au monde. Merci à la neige pour les Noëls blancs, merci aux écureuils de nous émerveiller, merci aux dépanneurs, aux taxis, aux parcs et aux fontaines. Du fond du cœur, merci. Mais comment fait-on pour mémoriser son code postal ?

Leçon de survie

Numéros utiles

Hydro-Québec urgence	1-800-790-2424
Maman	
Météo	283-3010
Mon code postal	
Police	911
Renseignements téléphoniques	411

Ouvrages consultés et bibliographie

- Alain DEMERS, **Plaisirs d'été pas chers** (Trécarré, 2001)
- Catherine SAGUÈS, Nathalie De GRANDMONT, **Le Québec par l'autre bout de la lorgnette** (PUL IG, 1997)
- **Guide Petit Fouineur, Explorez Montréal avec vos enfants**
- **Hour**
- **Ici**
- J. ISSERMAN, **À la découverte du Montréal multiethnique** (Éditions La Presse, 1988)
- Jacques TARDIF, **La route gourmande d'un Français au Québec** (Anne Sigier, 2000)
- L. HIRTZAM, **S'installer au Québec** (Multimondes, 2000)
- Leif R. MONTIN, **Escapades d'un jour** (S.D.F, 1997)
- Maxime SOUCY, **101 autres idées vacances au Québec et dans les Maritimes** (Trécarré 2001)
- **Montréal** (Guide Ulysse)
- **Montréal et la Ville de Québec** (Guide de voyage Frommer's)
- **Montréal pour enfants** (Guide Ulysse)
- **Montréal, le guide Autrement** (Édition 1998-1999)
- Ph. JACQUIN, **Les Indiens Blancs, Français et Indiens en Amérique du Nord (XVe-XVe siècle)** (Libre Expression, 1996)
- **Au Québec** (Guide Visa, Hachette)
- **Québec & Provinces maritimes** (Guide du Routard)
- **Québec** (Guide bleu Évasion, Hachette)
- **Québec** (Guide Gallimard)

- **Québec** (Guides Bleus)

- **Québec (Le)** (Guide Ulysse)

- **Québec autochtone** (**Le**) (Éditions de la Griffe d'Aigle, 1996)

- **Québec et l'Est canadien (Le)** (Guides Jika)

- **Smart shopping in Montreal**

- Sophie AUBIN, Vicky LACHARITÉ, **Je connais Montréal** (Les Intouchables)

- **Voir**

Index

Notes

Notes

Notes

Notes

Notes

Notes

Notes

Notes

Notes

Agence
[Serən'dɪpɪty]

Notes